# 三月の招待状

角田光代



集英社文庫

# 三月の招待状　目次

# 三月の招待状

# 三月の招待状

　薄いみず色の封筒を開け、カードを取り出してしげしげと眺め、

「うげ」蒲生充留《がもうみつる》は顔をしかめた。「趣味わる」

「なになに」

　台所で、冷蔵庫をのぞきこんでいた北川重春《きたがわしげはる》がふりかえって訊《き》く。充留が答えないでいると、ひょこひょこした足取りで歩いてきて、充留の手にしたカードをのぞきこむ。

「パーティの案内？」

「離婚パーティだって。どうしてわざわざこういうことをしないと気がすまないのかねえ」

「かわってんね」興味なさげに言い、重春は台所に戻っていく。「パスタでいい？」ふたたび冷蔵庫を開けている。

　パスタでいい？　ってパスタしか作れないくせに、となんとなく心の内で悪態をつき

ながら、いいよ、と叫び、充留はダイニングテーブルについてカードをじっくり眺める。

差出人は澤ノ井《さわのい》夫婦である。澤ノ井正道《まさみち》と坂下裕美子《ゆみこ》。大学の同級生で、そのころから交際していたから、十五年以上いっしょにいることになる。とはいえ、結婚したのは三年前で、学生時代から結婚にたどり着くまで、充留が知るだけでも八回は別れている。別れてはヨリを戻し、別れてはヨリを戻して、三年前、あきらめたように結婚したのだ。結婚式は大学構内にあるホールで行われた。講演会などで使うホールだが、卒業生にかぎり、結婚式にも貸し出している。式のあとは学生街のレストランでパーティ。そのときも、なんて悪趣味な、と充留は苦笑したのだった。安いのよ、五万円だもん、とあのとき裕美子は言い、じゃあ私も利用すればよかったわと、松本姓になった段田麻美《あさみ》は笑っていたが、充留は、正道と裕美子が自分たちの交際を徹底的に茶化しているように思ったのだった。

そして離婚パーティ。カードにはわざわざ「離婚式」と書いてある。二人の新たな門出を祝っていただきたく……結婚中お世話になったみなさまに感謝の意をこめて……もっともらしい言葉が印刷されている。会場は結婚パーティのときとは異なるがふたたび学生街のレストランである。イタリア料理の店らしい。名前を聞いたことがないから最近できたばかりなのだろう。会費は要りませんとある。無料だと言われて喜ぶようなばっかじゃなかろうか、と充留はちいさくつぶやいた。

年齢ではないし、何人呼ぶのか知らないが、自腹を切ってまで離婚式とやらをやりたいその気持ちがわからない。封筒にはドラえもんの切手が貼《は》ってある。これもわざわざ選んだんだろうと充留は思う。

にんにくを炒《いた》める香ばしいにおいが漂ってくる。重春のちいさな鼻歌が聞こえてくる。「換気扇、まわしてよー」台所に向かって叫ぶと、返事のかわりに、ぶおーんと換気扇の音が聞こえてきた。

でもな、と充留は同封されていた出欠葉書を引っぱり出して思う。なんだかんだ文句を言っても私は出席するんだろう。彼らのおふざけにきちんとつきあって、ちゃんとお洒落《しやれ》をして式に参加するんだろう。結婚式の三次会までつきあったように。

「できたー」

重春は両手に皿を持ってあらわれ、それをテーブルに置く。ベーコンのかわりにウィンナ、ほうれん草のかわりに小松菜の入ったトマトソースのパスタだった。充留は封筒をわきによけ、皿に鼻を近づけて「いいにおい、おいしそう」と声を上げた。

「ビール飲む？　ワイン飲む？」

「ワインにしよう」

「了解。冷蔵庫の、開けていいね？」

「ハートのラベルのは開けないで。ほかのだったらなんでもいい。赤にしてね」

充留は言って、先にパスタを食べはじめる。重春はワインの栓を抜き、二つのグラスを満たしてから席に着く。

「桜、今年はいつごろかなあ」

窓の外を見て重春はのんきな声を出し、つられて充留も窓に目を向けた。三階のマンションの窓からは、向かいの公園が見える。借景が気に入って、去年買ったマンションだ。公園の木々はまだつぼみをつける気配もなく、重たいグレイの空に枝を伸ばしている。

今年は遅いんじゃないの、と上の空で答えながら、充留は三週間ほどあとの離婚パーティのことを考える。だれがくるんだろう。麻美はもちろんくるだろう。宇田男《うたお》は？佐山宇田男はくるだろうか。噂《うわさ》では、ネパールに居着いているとか大阪に引っ越したらしいとか聞いているが、真偽はわからない。居場所がわからないことだけは確実だ。何を着ていこう。去年の末に買ったマルニはちょっと派手だろうか。こざっぱりしたドレスを週末にでも買いにいこうか。

「なあ、どうよって訊いてんのに」

向かいに座る重春に充留は目を移す。自分が料理をしたとき、おいしいかどうか重春はうるさいくらい訊く。ああ、うん、おいしい。充留は言って笑ってみせる。パスタを茹《ゆ》ですぎだの、塩がちょっときついだのと言おうものなら、うざったいくらい重春は落ち込むのだ。

「にんにくがかりっとしているのがいいね、すごいおいしい」充留は大げさにつけ加えてワインに口をつける。


仕事部屋にこもってパソコンを立ち上げたものの、なんとなくやる気が起きず、知らないだれかの日記を読んだり、春物の洋服を検索したり、充留がだらだらとマウスを動かしているとき、電話が鳴った。最近かかってくる電話はみな携帯ばかりなので、電話の音はなんだかなつかしく聞こえた。麻美だろうと思って充留は子機に手を伸ばす。

「きた？　招待状」やっぱり麻美だった。きたよ、短く充留が答えると、

「いく？」重ねて訊く。

「いくつもりだけど。麻美いくでしょ？」

「いくけどさあ」

「だんなさんといっしょにくるの？」

「やあだ、置いてくわよ」と言って笑う。「友だちの離婚式だなんて、そういうの、わかる人じゃないから」

二十五歳で結婚した麻美は、昔から、グループの集まりに夫を同席させるのをいやがる。「私たちのノリがわかるような人じゃない」とそのたび言うのだが、本当のところ

は、私たちに夫を評価されるのがいやなんじゃないかと充留は思う。もちろん充留たちが他人の夫の評価なんかしないことをわかっているものの、きっと、何か思われるのすらいやなのだ。それがたとえ、まじめそうだのやさしそうだのといった褒め言葉であっても。麻美の気持ちは、充留にはなんとなくわかる。学生時代から連《つる》んでいるグループ内には、だれに、とか、何に、というのでなく、独特の見栄《みえ》と気遣いが必要であるような空気がある。

「ねえ、会費がいらないってことは、お祝いを包んでいくべきなのかしら？」

麻美がまじめな声でそんなことを訊くので充留は呆《あき》れた。

「お祝いって、なんのお祝いよ？　結婚式でお祝いとって、離婚式でまたお祝いとろうっていうの？」

「だって会費がタダのときって、ふつう何か包んでいくじゃない。ふたりの新たな門出を祝ってとかなんとか、書いてあったし」

「おかしいってそんなの。きっとあれよ、結婚式のお祝いを返してくれるつもりで会費をタダにしたんだと思う」

真剣な声で言い、いったい何を言い合っているのやら、と充留はおかしくなる。だいたいこんな七面倒なことをはじめるのがいけないんだと、裕美子と正道を責めたくなってくる。

「じゃあ、それはおいといて、ねえ、何を着ていく？　結婚式みたいにドレスアップするのもへんよねえ」

電話が長引きそうだ、と思った充留は子機を耳に当てたまま、仕事部屋を出た。

「私はね、麻美と正反対のこと考えてた。嫌味なくらいお洒落していってやろうと思ってんの。それこそ、二十代の初婚の人の結婚式にいくみたいにさ」

「ええ？　なあにそれ、嫌味のつもりで？」

「やあね、嫌味なんかじゃないって。こういうことをわざわざやるってことは、とことん茶化したいってことじゃない。だから大まじめに茶化してやろうじゃないのって思うわけよ」

台所に向かい、カウンターごしにリビングを見ると、重春は床に座りソファに背をもたせかけ、テレビゲームをしている。ロールプレイングという種類らしいことはわかるが、画面上でいったい何をしているのか充留にはわからない。画面では、毛糸の帽子をかぶった少女漫画チックな女の子が、欧米風の町を歩いている。角に置いてある壺《つぼ》を持ち上げて壊している。

「大まじめにねえ」

「麻美はあれ着たら？　ほら、二人の結婚式のときに着てた付け下げ」

「そんなの着たら、それこそ嫌味だと思われるじゃない」

「嫌味だなんて思うくらいだったらこんな酔狂なことしないよ、悪ふざけしてほしいんだよ、裕美子たちとしては」

冷蔵庫からミネラルウォーターを出し、片手でグラスにつぐ。テレビ画面は突然暗転し、赤い怪獣みたいなものがあらわれる。なんだかずいぶん子どもじみたゲームだなあと充留は思うが、向き合っている重春は真剣そのもので、怪獣が出てきた時点で前のめりになり、懸命にコントローラーのボタンを押している。

「なんか、そういうノリって忘れてたわ」

受話器の向こうで麻美はいきなりしんみりした声を出す。

「何、ノリって」

「だからそういう悪ふざけというか。そういうことがおもしろいんだっていうような感覚よ」

充留はミネラルウォーターを飲み、麻美に聞こえないようにこっそりとため息をついた。麻美のこういうところが充留は苦手だった。だいたい、ノリだとかなんだとかいう言葉が気にくわない。こういうことがおもしろいのだと説明されてはじめておもしろがれるような、生真面目《きまじめ》で単純なところが麻美にはあった。出会った当初からそうだった、と充留は思う。

「べつにおもしろくもなんともないじゃない」

充留が話しはじめると、それを麻美は遮った。

「ごめん、夫が帰ってきたみたい。その日、待ち合わせしていっしょにいってくれる？」

場所と時間を早口で言うと、充留の返事もろくに聞かず電話を切ってしまう。

「はーあ」

子機の通話ボタンを切り、大きくため息をついてみたが、重春はゲームに夢中で聞こえないらしく、くそっ、とちいさく叫んで膝《ひざ》を打っている。充留は残ったミネラルウォーターを流しに捨てて、仕事場に戻る。

雑誌や新聞にコラムを書くのが充留の仕事である。コラムニストという言葉に照れと抵抗があり、人に職業を訊かれれば文筆業と答えている。

大学卒業後、充留は就職せず、ちいさな編集プロダクションでアルバイトをしていた。就職しなかったのには理由があって、ノンフィクションライターになりたかったのだった。そのころ充留が興味を持っていたのは、おもに大正、昭和初期にかけて活躍した女たちで、学生時代からせっせと原稿を書いては投稿を続けていた。それが卒業後、生活のためにはじめたアルバイトのほうが忙しくなり、書いても書いても日の目を見ない原稿などどんどんどうでもよくなった。親しくしていた年上の社員が独立したとき、その立ち上げに加わり、さらに仕事は忙しくなった。オープンするレストランの取材からラーメンの食べ比べから、ロードショーのレビューから演劇評から、なんでも書いた。署名入りで記事を書けるようになったのが二十六歳のときで、次の年には、女性雑誌で連載を持つことができた。

仕事って芋掘りに似ていると、三十歳を目前にした充留は思っていた。ひとつの記事がべつの仕事を呼び、ひとつの連載がべつの連載を連れてくる。そのころには、土の下からごろごろ出てくるさつま芋みたいに仕事が増えていた。

毒舌が充留の専門だった。映画でも本でも人物でも、乱暴な言葉で、オーバーにこき下ろす。こき下ろしてばかりでは反感を持たれるだけだから、ついでに自分自身も大げさにこき下ろしておく。ずっとその連続だった。テレビでよく見る芸能人と、流行したドラマをからめて好き勝手にこき下ろしていた女性誌の連載が、一冊の単行本（「だからなんだっつーの」というタイトルだった）になったのは一昨年、充留が三十二歳のときである。裕美子や正道、麻美といった例のグループが居酒屋で祝ってくれた。

本は思いのほか売れたが、それ以来、頼まれるのは似たような仕事ばかりになった。芸能人、ドラマ、テレビや映画の毒舌批評。そもそも充留は芸能的なことに疎い。三年前のテレビに映る芸能人は、ほぼ全員名前がわかったが、次々とあらわれる若手の名前と顔が次第に一致しなくなり、今テレビをつけてすぐにだれそれと言えるのは、六割か七割程度である。テレビを見よう、芸能関係をフォローしようと意気込んで、リビングだけでなく寝室と仕事部屋にテレビを入れ、風呂場《ふろば》用の電池式小型テレビまで用意したものの、このごろでは、バラエティ番組のにぎやかさがときおり耐え難く感じられるし、女性に一番人気があるとされる男の子を見ても、なんとも思わない。ドラマに至っては、毎回見ていても筋が飲みこめない。芸能人と対談を、なんて企画があると一も二もなく断ってしまう。自分が年をとってしまったのか、それとももともと好きな世界ではないからなのか、一時期充留は真剣に悩み、後者に原因があると思うことにした。テレビなんか好きではないのだ。芸能人なんかに興味はないのだ。そうだ、私、ノンフィクションライターになりたかったんじゃないか。満州《まんしゅう》の川島芳子《かわしまよしこ》とか、カナダの田村俊子《たむらとしこ》とか、彼女たちの人生の一面に、新しい側面から光をあててみたかったんじゃないか。充留がそう思い至ったのが、ちょうど去年の今ごろだった。

しかし、軽めの毒舌コラム、しかも芸能関係ばかり書いている充留に、シリアスなノンフィクションの依頼などあるはずもない。知り合いの編集者幾人かに、酔った勢いでそんな自分の野望を話してみたりもしたが、一笑に付されただけだった。これはあれだな、と充留は自分でも思うのだった。売れないお笑い芸人がハリウッドに進出しようと本気で画策しているようなもんだな。

最近では、充留はすっかり重春の情報に頼っている。充留より八つ年下の重春は、充留の三分の一ほどしかテレビを見ないし、雑誌や新聞など活字の類《たぐい》はいっさい手に取る様子もないのに、芸能人の顔や特徴やスキャンダルに呆れるほど詳しい。その知識の豊富さに充留が驚くと、中吊《なかづ》り広告で見ただけだとか、友だちにそんな話を聞いただけだと重春は言う。そうして、重春には独特のセンスとアンテナがあると充留は思っていた。一話目から重春が見ているドラマはたいていヒットするし、少し前に重春が夢中になっていた海外ドラマは、去年末に大ブレイクした。しかもそれらを見ながらぽつりと漏らす淡泊な感想が、充留にはおもしろいうえ新鮮で、そのまんまを原稿に書いたこともある。

時計を見ると八時近い。結局キーボードを一度も操作することなく、充留はパソコンの電源を落とす。部屋を出てリビングに向かい、まだゲームをしている重春に、

「晩ごはんどうしようか」

と声を掛ける。

「うーん、どっか食いいく？　鳥昌とか」ふりかえらずに重春は言う。

「豆乳鍋《とうにゆうなべ》とか食べたいなあ」

「じゃ、あっこいく？　なんとかの月って店、豆腐料理じゃなかったっけ」

「ああそうだね、ビールも飲みたいしね」

「じゃ、あと五分待って、セーブポイントさがすから」

充留はソファに腰かけ、テレビ画面と重春の脳天を交互に眺める。重春が何をさがす

のかよくわからないが、彼が五分と言うときは十分待たなければならない。

重春は無職というわけではなく、友人に頼まれてウェブのデザインなどをやっているらしいが、ほとんど家にいる。昼食を作ってくれるから充留にはありがたいが、ときおり、無性にいらつくことがある。がんばってない、というのがその理由だ。それがもとで喧嘩《けんか》をしたことは数え切れないほどある。がんばってるよおれだって、と重春はそのたび言う。でも私のようにはがんばってない、充留はいつも言い返し、そうして深い自己嫌悪を味わう。充留の自己嫌悪で喧嘩は終わる。

「あー、腹減って死ぬ」ソファに寝そべって恨みがましい声を充留は出した。

「はいはい、あと三分」重春の背中は答える。


デパートを出ると日が暮れかけていた。ほとんど開店と同時に入ったのだから、一日デパートで過ごしたことになる。タクシー乗り場のわきにある喫煙所に向かい、両手の荷物をおろし、充留はバッグから煙草《タバコ》と携帯電話を取り出した。煙草に火をつけ、深く吸いこみ、片手で携帯を操作する。妙に満ち足りた気分だった。重春はなかなか出ない。いらいらする。きっとゲームをしているんだろう。あの、へんな絵柄のゲーム。

一回切ってもう一度かけなおし、ようやく重春が電話に出る。

「用事終わった。今日、夜ごはんどうする？」訊くと、

「桜咲きはじめたって、ニュースで言ってたよ」

寝ぼけたような声で重春は答え、さらに充留はいらいらする。さっきの、なんだか世のなかすべてが自分の味方であるような満ち足りた気分が、あっという間に消えてしまう。ゲームをしていてもいらつくが、寝ていてもいらつくのだ、と心のなかで充留は思う。きっとテレビを見ていてもいらつくのだし、食事を作っていたとしてもいらつく。重春のすることはたいていいなんでも自分をいらつかせることに、充留はずいぶん前から気がついている。しかし充留にとって不思議なのは、いらつく、という気分と、好きである、という気持ちが、まったく矛盾しないで自分の内にあることだ。

「じゃあ桜でも見る？」いらいらしながら充留は言っている。

「うん、Z公園の夜桜見にいこうよ、屋台が出てるはずだから、そこでなんか食おう」

屋台で夕食、という提案にがっかりしながら、

「おでんに熱燗《あつかん》」充留はちいさく笑って言っている。

「じゃ、駅で。近くにきたらまた電話して」重春は言い、電話を切った。

短くなった煙草を灰皿に捨て、駅まで荷物を抱えて歩くのがとたんに億劫《おっくう》になり、充留は目の前のタクシー乗り場に並んだ。数分も待たずに自分の順番がくる。後部座席に荷物とともに乗りこみ、

「杉並《すぎなみ》の、Z公園、わかりますか」と言った。

タクシーは夕暮れの町を走り出す。ビルの合間から見える空は、紺と橙《だいだい》とピンクの混じった、複雑な色をしていた。窓に顔を近づけ、ネオンが反射しあう町を見ていると、さっきのいらいらは次第に薄まり、デパートを出たときの満ち足りた気分が戻ってくる。

離婚式で身につけるものを、今日一日かけて充留は買ったのだった。ドレスに靴、アクセサリーに化粧品、バッグにコート。離婚式に出席する自分を思い描きながら、充留は試着と試しばきを幾度もくりかえし、化粧を何度も落としたり施されたりした。後部座席に置いた紙袋の数々は、完璧《かんぺき》な自分にしてくれるはずだった。美容院の予約は二日後に入れてある。風景は光の尾を引くように流れていく。一週間後に迫った悪趣味なパーティを、充留は待ち遠しく感じはじめていた。

公園に花見客はさほどいなかった。ところどころ街灯の下で、数人の客がビニールシートを広げているきりだった。どのグループも、騒がずひっそりと飲んでいる。桜はまだ咲きはじめたばかりで、半分はつぼみのままだ。花見客がくりだすのは次の週末だろう。

「しっかし、買ったなあ」

隣を歩く重春が、紙袋を掲げて言う。大小七つの紙袋を、充留のかわりに重春は提げて歩いている。

「買いましたとも」

充留は、重春の手の先の紙袋を見て答えた。出会った当初から、重春はすごく自然に充留の荷物を持った。女の荷物をごくごく自然に持つ男というのを、充留はそれまで見たことがなかったので、最初はびっくりし、照れ、そうして感動した。今でも充留は、男が自分の荷物を持って歩くのを見るのが好きだ。

「気合い入ってんなあ」

重春は続けて言い、充留はとたんになんだかおもしろくない気分になる。

「気合いっていうか、べつに」

「やっぱりあれなの？　かつての同級生に、成功した女ってのを印象づけたいとか、思うもんなの？」

「何それ、ちんけな意見。べつに成功してないし、見栄も張ってないし」充留はさらにさらにおもしろくない気分になる。それで気づいてしまう。「体はってつきあってあげようとしてんのよ。友だちの悪趣味に」なんのためにこんなに散財したのか。とうとう別れることになった二人を思いきり茶化したいからではなくて、完璧な自分を見てほしいからだ。見てほしい？　心のなかで即座に充留は自問する。だれに？　裕美子に？　正道に？　それとも、宇田男に？　まさか。宇田男なんか、くるかどうかもわからないのだし。会ったって話すことなどないし。べつに会いたくもないし。

「あっ、屋台出てた。おでんとたこ焼きあるよ。あれ買って、ベンチで食おうぜ」

重春は言って、紙袋をばさばさと鳴らしながら走っていく。充留はむっつりとしてわざとのたくら歩いた。屋台の前で重春が手招きしている。

「熱燗入れて二千二百円だって」

屋台の前にたどり着いた重春は、笑顔で充留にそう伝える。重春が勘定を充留にもたせるのはいつものことで、充留はそのことについて深く考えたことが一度もないのだが、このときばかりは舌打ちをしたい気分でバッグから財布を取り出した。

プラスチックの容器に入れてもらったおでんと、あたたかいワンカップの酒を苦労して運び、充留と重春はベンチに座る。湯気がもうもうとたっている。ワンカップをすすりながら、おでんを早速食べはじめている重春を充留は横目でちらりと見る。

「案外うめー」重春は目を細める。

「なんか、しょぼくれてる」充留はつぶやいた。

「え、なになに？」

「私たちって、しょぼくれてる。つまんない」

「え、食ってみ、意外にうまいから。たこ焼き先食ってもいいよ」

「なーにが食ってみ、よ。私が買ったもんだっつーの」

充留は嫌味で言ったのに、重春は、げははは、と白い湯気を口から盛大に漏らして笑う。

「しょぼくれてて、なんだかつまんない」

充留はもう一度言った。重春の足元に置かれた紙袋を見ても、満ち足りた気分は戻ってこなかった。

「恋人同士ってのはしょぼくれてるもんだって」

重春はそんなことを言うと、おでんの容器に入っていた赤いウィンナを口に入れた。

充留はふいに、この公園で花見をしたことがあると思い出す。学生のころだ。裕美子もいた。正道もいた。麻美は松本麻美ではなく段田麻美だった。宇田男もいた。ほかにも数人、キューピーちゃんとか邦生《くにお》とか前田とかもいた。昼過ぎに集合して、さんざっぱら飲み、日が暮れるころ、だれかが近くのホームセンターでバーベキューセットを買ってきて、火をおこした。なかなか炭に火がつかず、そんなこともおかしくて笑い転げた。火がついたらついたで、もうもうと煙が出て、警察まで出てくる騒ぎになった。それでも飲み続けた。たしかあのころも、裕美子と正道は別れるだの別れないだので揉《も》めていて、突然裕美子が泣き出して、どこかへ消えたりした。何人かがさがしにいき、邦生が真顔で正道に説教していた。そのうち邦生と正道がとっくみあいの喧嘩をはじめて、どっちかが池に落ちたんだった。馬鹿《ばか》みたいだった。今考えれば、あのころの自分たちだってずいぶんしょぼくれていた。しょぼくれているうえ今よりずっと馬鹿だったが、自分たちがしょぼくれているなんて思いつきもしなかった。いつだって自分たちの近くで、映写機がまわっているような気がしていた。その映写機のなかでは、他の人々はみなちょい役で、自分たちが主役なのだった。映写機はずっとまわり続けていくと思っていた。年を重ねても、だれがどこにいっても。

「ま、そういうもんかもね」

充留はつぶやいて、パックに入ったたこ焼きをひとつ食べた。たっぷりかけられたマヨネーズがやけに酸っぱかった。

「う、これ酸っぱい。腐ってるかも」

「うそ、まじ？」

「食べてみなよ。酸っぱいから」

「やだ。おなかこわしたらやだもん」

「なんで私だけに毒味させせんのよ。ねえ食べてよ、これ食べてみて」

充留はたこ焼きのパックを重春に押しつけるが、重春は頑として受け取らず、おでんの器から卵を取り出してぱくりと一口で食べる。

「あー、卵食った！　信じらんない、私が卵好きなの知ってるじゃん」

「けちくさいなー。それでも三十代？　も一個買ってくりゃいいじゃん」

「あーあー、卵のないおでんなんか食べる気がしない。もういいや。あんたのぶんまで飲んでやる」

充留は自分のワンカップを飲み干して、重春の足元に置かれたワンカップに手を伸ばした。つんとにおいのたった日本酒を、喉《のど》に流しこむ。胸のあたりがすっとあたたかくなる。暗い公園のベンチで喧嘩している自分たちがおかしくなって、充留は笑い出す。

「あーあー、酔っぱらっちまった」

呆れ顔で重春が言い、充留はさらに声を上げて笑った。少し先に、花見をしているグループがいる。青いシートを敷き、橙色のランプを囲んで、鍋か何かつついている。数人がふりかえって笑い続ける充留を見、また自分たちの話に戻っていく。充留は顔を上げ、桜のつぼみを意味もなく数える。枝にこまかく区切られた夜空はむらさき色だった。

そういえば、学生のときの花見の夜も、空はむらさき色だったと、充留は薄ぼんやりと思い出した。澤ノ井夫婦の離婚パーティは来週だと、続けて胸の内で確認し、あの二人が別れるなんて信じていないことに充留は気づく。

# 四月のパーティ

離婚パーティの会場を予約したのは坂下裕美子で、だから、その日が澤ノ井正道の誕生日であるのは偶然ではなかった。裕美子はわざわざ、正道の誕生日に離婚パーティをすることにしたのである。

生活の気配がまるでないほどひっそりとした寝室で、裕美子は白いワンピースを身につけ苦労してジッパーをあげる。ワンピースはロンドンの古着屋で、二年前に購入したものだ。胸元の広く開いたシンプルなデザインで、ウエストがゆるやかに細く、そのますとんとくるぶしまで長い。仕事帰りにデパートに立ち寄って買ってきた、ターコイズの馬鹿《ばか》でかいネックレスをし、寝室を出て玄関の鏡の前に立つ。

「あんまり合わないなあ」独り言が出る。寝室に戻り、ベッドに広げたアクセサリーのなかから、ごてごてと飾りのついたチョーカーを選び、また鏡の前に戻る。「こっちのほうがまだましか」言いながら、玄関に下り、薄いピンク色のパンプスを出してはいてみる。そのまま部屋に上がり、再度鏡の前に立つ。「これでいいかなあ」そうつぶやいてようやく、裕美子は独り言を言っていることに気づき、とたんに鏡の前に立っていることが馬鹿馬鹿しくなる。無言のまま寝室に戻り、ワンピースを脱ぎ捨てる。

明日の離婚パーティには、最初黒いドレスを着ていくつもりでいた。結婚式は白が定石だから、離婚は黒だろうと単純に思ったのだが、黒なんて着たらまるで結婚に未練があるみたいだと一週間前にふと思い、それで、白を着ることにした。三年前に着たウェディングドレスを裕美子はまだ持っていたが、まさかそれを着るわけにもいかない、かといって新調するのも馬鹿らしい、手持ちの白といえば、初夏用のツーピースとロンドンの古着しかなかった。古着のほうがそれらしい気がして、そっちを選んだ。二年前のロンドンは、新婚旅行だった。

白いワンピースをハンガーに掛け、裕美子はリビングにいく。冷蔵庫から缶ビールを出し、テレビの前のソファに座ってテレビをつける。ちらりと壁の時計に目を走らせる。十時を過ぎている。正道が十二時前に帰ってきたことなど、この一年、数えるほどしかないけれど、夫婦でいるのは今日が最後なのだ。明日、パーティの前に離婚届を出し、その様子をビデオカメラに収め、パーティ会場で流すことになっている（結婚式のときのパロディだった。婚姻届を出す模様を、邦生がビデオに収め、パーティでそれを流した）。離婚パーティの終了後、新しい住まいはまだ決まっていないらしいが、正道はもうここへは帰ってこない。そういう約束になっている。

だから、夫婦でいるのは今夜が最後なのに、いったい何時に帰ってくるつもりなんだろう。テレビにぼんやりと目を向けて裕美子は考える。次第にいらいらしてくる。なんだか馬鹿にされている気がする。バッグから携帯電話を出し、正道の名を画面に呼び出す。発信ボタンを押そうとして、けれど裕美子はディスプレイの正道の名をじっと眺める。

今夜が最後だから早く帰ってこいと言えば正道は即座に帰ってくるだろうが、しかし、二人顔をつきあわせて、いったい何を話せばいいんだろう。楽しかったね、とか、いよいよだね、とか、言い合うのか。まさか。話すことなんかもうなんにもない。

テレビはニュースを流している。玉突き事故、民家の火事、殺人事件の続報。飲み終えたビールの缶を握りつぶし、もう一本持ってきてプルトップを開ける。

家賃十四万八千円のこの2LDKには、裕美子が住み続けることになっている。家具のほとんどは裕美子が持っていたか新たに買ったものだから、正道が出ていってもほとんど何も変わることがない。出ていって、と言ったのは裕美子だし、ここに自分が住み続けると決めたのも裕美子だった。離婚届をもらってきて先に記入したのも裕美子であり、どうせなら、ぱあっとパーティをしようと提案したのも裕美子だった。

気がついたら泣いていた。ずる、と鼻をすすり上げてから、裕美子は泣いていることに気がついた。感情の伴わない、まるで放尿のような涙だった。片手のなかにまだある携帯電話に目を落とす。そうしてなんだかおかしくなる。十八のときから、ずっとここにいた気がする。テレビの前のソファ。ひとりきりの部屋。たいした意味なく流れる涙。

実際、十八歳のときから、ずっと同じ場所にいたのだと裕美子は思う。裕美子にとって世界は、物理的に正道がいる、物理的に正道がいない、という二つしかなく、自分はつねに正道がいない世界でひとりしゃがみこみ、正道がいる世界を思い描いていた。出ていってと正道に言ったとき、裕美子は唐突に気づき理解し、そうして心底ぞっとしたのである。十五年以上、おんなじ場所に居続けたということに。

明日のパーティを、裕美子は楽しみにしている。明日から続く正道抜きの日々を、等しく楽しみにしている。さぞやせいせいするだろうと思っている。泣いているのはかなしいからではないと裕美子は知っている。かなしくなくても人は泣くことができる。ただの習慣で、こんなふうに人は泣くのだ。

手にしていた携帯電話がいきなり音楽を奏で、裕美子はぎょっとしてビールを少しこぼしてしまう。音楽はすぐに鳴りやむ。受信したメールを確認すると、正道からだった。今駅にいます。コンビニでいるものあれば言ってください。とある。裕美子はあわててトレーナーの袖口《そでぐち》で目元を拭《ぬぐ》う。

店みせがシャッターを下ろした商店街を歩く正道を、裕美子は思い描く。携帯電話に

「い」と打てば「今駅にいます」と変換され、「こ」と打てば「コンビニでいるものあれば言ってください」と文字候補に次々と出ることを裕美子は知っている。自分の携帯電話に「な」と打てば「何もいりません」と候補枠に出てくる。一文字打っただけで、多用文章が表示されるメール機能は、なんだか自分たちの関係を象徴していると裕美子は思いながら、洗面所にいき、念入りに顔を洗う。

私がおんなじ場所にしゃがみこんでいた十五年のあいだに、携帯電話が登場しコンピュータが普及し、カラオケボックスが町じゅうにでき改札はみな自動になり、カメラはデジタルになりファクスは巻紙式でなくなった。鏡に顔を近づけて、泣いたことがばれないか確認しながらそんなことを思い愕然《がくぜん》としていると、玄関の鍵《かぎ》ががちゃりと音をたてまわった。

「おかえり」洗面所から顔をのぞかせ笑いかけると、正道は片手に提げた紙袋を持ち上げた。袋からワイン瓶のあたまが飛び出していた。

「なあに、ワインでも飲んでしみじみする？」

リビングに向かう正道のあとを歩きながら言うと、

「おう、しみじみしようぜ」

正道がまじめに答えるので裕美子は笑い出す。

味付け海苔《のり》、冷凍してあった焼売《シューマイ》、クラッカーにレバーパテ、冷蔵庫にあったあまりものと、正道の買ってきた白かびチーズと明太子《めんたいこ》、めちゃくちゃな組み合わせのものをテーブルに並べ、それぞれの席に座って裕美子と正道はグラスを合わせる。麻美が結婚祝いにくれたリーデルのワイングラスだった。

「これで冷蔵庫すっからかん」裕美子はワインを一口飲んで言う。

「じゃ、全部残さず食べないとな」正道はグラスの脚を持ってくるくるまわしている。

「ワインおいしいね」

「奮発したから」

「冷蔵庫が空になったら、私もう自分の好きなものしか入れないんだ。塩辛もあのぬるぬるしたナメタケの瓶詰めも、真っ黄色のたくあんも入れない」

あははは、と正道は声を上げて笑う。正面に座る裕美子にしてみれば、心底おもしろそうに笑っているように見える。心のなかの一部分、レーズン一粒ぶんくらいが、こちんと硬くなるのを裕美子は感じる。

「明日、結局何人くるんだっけ」正道は立ち上がり、ステレオの前にしゃがみこんでCDを選んでいる。ちいさな音でコステロが流れてくる。歌い出しの部分で、十四年前の光景が突然色濃く目の前をよぎり、裕美子はたじろぐ。来日したコステロのライブを、武道館まで聴きにいったときのことだ。夕暮れの空、正道が着ていたカーキ色の古着のジャケット。

「三十人は軽くくる」

「同窓会みたいなもんだもんなあ」正道は席に戻り、焼売をひとつ口に入れ、裕美子に笑いかける。「とりあえず打ち合わせ関係はもうばっちりだよな。あ、おれあとで忘れずに靴磨いとこ。汚れた靴はいてたら、すでにあわれな男やもめって感じだもんな」裕美子のグラスにワインをつぎ足して、うつむいてほほえむ。

心のなかの、レーズン一粒ぶんくらいのしこりが、あっという間に拳大《こぶしだい》まで大きくなるのを裕美子は感じる。いけない、と思う。今日はつまらない言い合いなんかしたくないし、私も正道も、そういう言い合いがどこにもつながらないということをいやというほど知っている。憎まれ口はきくまい、嫌味は言うまい、まるで文章を読み上げるように裕美子はそう思うが、しかし一方で、正面に座る男を傷つけたくてたまらなくなっている。謝ってほしい、考えなおしてほしい、もっとべつの解決策を見つけてほしい、深く反省してほしい、そんなふうに何かしてほしいから傷つけたいのではなくて、ただ、傷つけたいのだ。いやな思いをさせたいのだ。楽しそうに笑うのをやめさせたいのだ。その気分にどうにも抗《あらが》えず、気がついたら裕美子は口を開いている。

「明日泊まるところはウィークリーマンションじゃなくて、女のとこなんでしょ。あなた女のとこに転がりこむんでしょ。だから家財道具いっさい置いていくんでしょ」

「またその話ぃ？」うんざりしたようにではなく、茶化すように笑みを作って正道は言う。

「べつにいいの、女のとこに転がりこんだって私はかまわないの、だってあなたってそういう人だもん、プライド高いけど高いだけで薄っぺらで、ひとりじゃなんにも、文字通りなんにもできないじゃん。女のところに転がりこんでまたおままごとみたいな暮らしして、それであるとき急に責任が生じていることに気づいてあわててケツまくって逃げ出すの、わかってるし。わかってるからその女の子に私は同情以外のなんにも感じないんだけどさ、だけど隠しごとされるとむかつくのよね。ウィークリーマンションとかって、べつに今さら私相手に言うことないじゃない。私たちそういうんじゃないじゃない。女の家にいきますよ、って言われれば、はいそうですか、がんばってねって、私たちそういう関係じゃない。それを馬鹿みたいな嘘《うそ》つかれたらむかつくの」

考えなくとも言葉はすらすらと口をついて出た。そのことに驚きつつも、もっともっと相手を罵《のの》りたいと願っていることに裕美子は気づく。その思いの強さに、というよりも、自分の内にある残酷な気分に、裕美子はぞっとする。しかしどんなに口汚く罵っても、正道の心のいちばんやわらかい部分を傷つけられないこともまた、裕美子はわかっている。言葉はなんにもしてくれない。それはこの一年で、ひょっとしたら正道と関《かか》わり合ってきた約十五年間で、裕美子が学んだことのひとつだった。

「コステロ、いったよなあ」正道は天井を見上げ、なつかしそうに言う。正面に座る裕美子から見れば、やっぱり心底なつかしがっているふうに見える。「なんだかんだいって、おれ、きみといっしょにいてすごく楽しかった」

喉《のど》の奥で待機していた罵りの言葉が、すべてさらさらと蒸発してしまう。裕美子は唇を嚙《か》んでワインボトルを引き寄せ、自分のグラスになみなみと注ぐ。私とは違い、正道は私を傷つける方法を的確に知っている、と思う。おそろしいことに、実の母親より、長年の女友達より、この男は私を正確に傷つけることができる。十五年かかって習得したことが、相手の傷つけかただなんて、皮肉というよりなんだか不思議な気がする。

「そうだね」

降参の白旗をあげるような気分で裕美子は言い、味付け海苔をぱりぱりと嚙んだ。


薄暗い店内に、影のように移動する人々を、座席に座って裕美子は眺める。大学時代の友人たちと、ともにたがいの仕事仲間が参加メンバーで、三十人どころか、五十人近くいる。ビュッフェスタイルの立食パーティで、学生時代の友人たちは同窓会のようにもりあがり、片手に皿を持ち片手にグラスを持ち、あちこちで歓声を上げている。仕事仲間たちは知った顔同士でかたまって、ひそやかに飲んでいる。みんな何を着ていけばいいのか迷ったのだろう、参加者の格好はてんでんばらばらだった。シャツにジーンズの人もいれば、スーツ姿もおり、仮装みたいなチャイナ服の人もいる。

正道の姿をさがすと、スーツ姿の正道は、仕事関係の友人たちの輪に加わって、何を話しているのか、腰を折り曲げて笑っている。

離婚届はパーティの前に出した。パーティ用に着飾ったまま、二人で区役所にいった。本岡邦生がそれをビデオに収めていた。裕美子も正道も終始笑っていた。なんだかすごくおもしろいことをしているような気がしていた。その気分には覚えがあった。学生のころ、いつもそんな気分だった。酔っぱらって騒いで道路で眠ったり、スプレー缶を持って目に入る道路標識すべてにいたずら描《が》きをしてみたり、灰皿やフォークやナイフ、喫茶店の備品をごっそり持ち帰ってみたり、そうしては馬鹿笑いしていた気分。

パーティは、午後七時、邦生の司会ではじまった。友人何人かがスピーチし（勇気ある決断だとか、晴れがましい離婚とか、たぶんわざと、彼らは大まじめに語った）、大音量でストーンズが流れるなか歓談タイムに入り、ついさっきの離婚届提出の場面が会場の白い壁に映し出され、ふたたび歓談タイムになった。何人かが裕美子と正道のところへきて、離婚に至った原因だとか、パーティをする理由だとかをたずね、ふざけていっしょに写真を撮り、音楽に負けじと歓声をはりあげてフロアの人混《ひとご》みに戻っていった。

さっきの、とんでもなくおもしろいことをしている気分は、裕美子の内でまだ続いていた。そうして同時に、裕美子はぼんやりと途方に暮れていた。

「なんにも食べてないんじゃない？」

食べもののった皿を差し出され、顔を上げると蒲生充留が立っている。鮮やかな青の、シンプルなワンピースを着ている。皿を裕美子に手渡すと、今度はワイングラスを二つ持ってきて裕美子の隣に座る。離婚の理由をまた訊《き》かれるのだろうと心の内で返答を用意したのだが、

「宇田男がきてた」

フロアに目を凝らして充留は言った。

「だって呼んだもん」

裕美子は皿にのった料理を食べはじめる。アンチョビのパスタ、トマト味のペンネ、バジル風味のチキン。

「呼んだって、でも宇田男って行方不明だったでしょ？　どこに招待状出したの？」

裕美子は顔を上げまじまじと充留を見る。充留は成功した女だと裕美子は思っている。そう言うと、正道は決まって、何をもって成功っていうの？　と薄く笑った。正道は、成功とか失敗とか、幸福とか不幸とか、そういう言葉を安易に使うことを毛嫌いしていた。けれど充留は成功していると裕美子は思う。好きなことをやって、同世代の人よりもたくさんお金を稼いで、未来のビジョンがあり、恋人に依存していない。それが裕美子の思う成功だった。充留が学生のころよりきれいになって、こんなふうな場所でも、その他大勢より格段に華やかに見えるのは、だからだ、と裕美子は思っている。その充

留が、なぜ宇田男に執着するのかが裕美子にはわからない。行方不明、なんてロマンチックな言葉をなぜわざわざ持ち出すのか。

「行方不明なんてわけないじゃん。宇田男は下北《しもきた》に住んでるよ」

「えっ、下北に？　そうだったの？　でも、ネパールいったとか大阪いったとか」

「仕事なくなって流行にのってバックパッカーもどきやって、それでお金なくなって実家の埼玉にいったん帰って、実家で働けってやいやい言われるのがいやになって、大阪に帰ったキューピーちゃんとこに遊びいって、そのままホームレスもどきやって、そんでだれかにお金借りたかなんかで東京に帰ってきたんだよ」

空になった皿をわきに置き、裕美子はワインを飲み干す。グラスに口紅と料理の脂がべったりとついている。おもしろいことをしている、という気分がどんどん下降していることに、裕美子はふいに気づく。

「バックパッカー？　ホームレス？　やっぱ宇田男ってふつうじゃないね」

充留は大げさにため息をついてみせ、通りかかったウエイトレスにワインのおかわりを頼んでいる。「面倒だから、ボトルごとください」大声でつけ加えている。

ふつうじゃない、という言いかたが賞賛に満ちているのを感じて、裕美子はうんざりする。裕美子にとって、充留が成功した女だとすれば、宇田男は失敗した男だった。情けない敗残者だった。ウエイトレスがワインボトルを持ってきて、充留は自分と裕美子のグラスを満たす。裕美子はフロアを見渡してグラスに口をつける。バーコーナーのカウンターにいる宇田男が目に入る。麻美と顔を近づけて話している。毛先を白く脱色している。細身のスーツを着ている。ださい、と裕美子は胸の内でつぶやく。

「ごくふつうの、だめな男じゃん」

宇田男から顔をそらして裕美子はつぶやいた。充留はそれを聞いて、天井を向いて笑う。音楽はマーク・ボランに変わる。裕美子は今すぐ帰りたいと思っていることに、さらに気づいてしまう。学生時代の仲間と騒ぐことも、離婚をこんなふうに演出することも、もはやくだらないことにしか感じられない。

「ピザが焼けたらしいけど、食う？」

両手に皿を持ち、いつもとまったく変わらない顔で、正道がやってくる。裕美子と充留に皿を渡し、充留の隣に座る。裕美子は皿にのった二切れのピザを見おろす。

「あんたたちは絶対に別れないと思ってたわ」

充留が突然正道に言った。

「おれもそう思ってたんだけど」正道が答えるのがずっと遠くから聞こえる。

「じゃあなんで別れるの。ひょっとして一年後、また結婚パーティをやってお祝い金をふんだくる気じゃないでしょうね」

あははは、と正道は快活に笑う。「それより、充留はどうなの。今の男とは結婚しないの」

「結婚ねえ。じゃあ訊くけど、結婚って楽しいの」

「べつに、ほかのふつうのこととおんなじだよ、楽しいこともあるし、そうじゃないこともある」

裕美子はピザに目を落としたまま、二人の会話を聞いている。もう何も言わないでくれと願う一方で、もっと充留にあれこれ質問してほしかった。それにたいする正道の答えを知りたかった。

自分といっしょにいながら、正道が好きな女を作るのは今にはじまったことではなかった。正道と交際をはじめたのは裕美子が十八歳のときで、交際一年目には、正道にはもうべつの好きな女がいた。このときは正道から別れてくれと言われた。ほかに好きな人ができたから、きみといっしょにはいられないと。

そのころの裕美子にとって、正道は、はじめてのきちんとした(肉体関係込みの)恋人で、それははじめての失恋だった。だから世界がひっくり返ったように感じられたし、正道に好かれない自分を呪《のろ》ったし、正道の好きになった女を気持ちの全部で憎んだ。裕美子との交際を解消した正道は、しかし何かというと裕美子に電話をかけてきて、あるいは校内で裕美子を見つけるとわざわざ呼び止めて、新しい恋愛の報告をするのだった。正道の恋愛はうまくいっていなかった。正道の話は、だからいつだって恋愛相談だった。

ふった女に恋愛相談をするなんて気がしれない、と思いつつ、裕美子はけっして正道を拒絶しなかった。アドバイスすら与えた。「一回やっちゃえばどうとでもなるんじゃないの」と、わざと乱暴に言ってみたりした。

もちろんそのたび胸が痛んだし、電話を切ったあとはさんざん泣いた。不当に傷つけられている、と裕美子は思っていた。けれど裕美子にとって、正道とまったくの無関係になるよりは、恋愛相談係でいたほうがまだましだった。

結局、好きになった女に正道はてんで相手にされなかった。ごく自然にヨリが戻った。その後、十五年にわたって、おんなじことがくりかえされた。正道に好きな人ができる。そうしてそれは必ず裕美子の知れるところとなる。正道から別れてくれと言うときもあったし、裕美子のほうから別れようと言うこともあった。正道の新たな恋で別れたのは五回、そのくりかえしが馬鹿馬鹿しくなって別れたのが三回、自分も新たな恋をしようと裕美子が決意して別れたのが二回。今度の離婚が決まってから裕美子は数えてみたのだった。正道の恋が原因で別れるのは、だからこれで六度目になる。

正道の今の恋の相手は、二十五歳のダンサーである。異業種親睦会《しんぼくかい》という名の合コンで出会ったらしいことも裕美子は知っている。水漏れみたいに秘密がばれるのも、裕美子が真実をさぐりあてるのも、観念した正道が本当のことをうち明けるのも、十九歳のときから変わっていない。観念すると正道はなんだってしゃべるし、なんだって教える。

だから裕美子は二十五歳のダンサーが、野村遥香《はるか》という名だということも知っているし、東中野《ひがしなかの》に住んでいることも知っているし、携帯カメラの画像でだが顔も見たことがある。

野村遥香には、不思議なくらい嫉妬心《しっとしん》を抱かなかった。気の毒だと、裕美子は本当に彼女に同情したのである。二十五歳の遥香は、正道と親しくなることによって、抱かなくてもいい嫉妬やら猜疑《さいぎ》やら憤怒やら理不尽やらを覚えることになるのだろうし、正道が彼女に与えられるものなんか、物理的にも精神的にも何もないのだから、彼女はこれから時間を無駄にするだろう。離婚してほしいと正道に言ったとき、その先を知りたいという気持ちが裕美子にはあった。自分と別れた正道がどうなるのか、二十五歳の遥香とどうなるのか。二人のその後を見届けたかった。

「そろそろここはお開きだから、もう少ししたら最後の挨拶《あいさつ》だけど」

邦生が正道に言いにくる。

「平気？　飲みすぎなんじゃない」

正道は裕美子をのぞきこむ。

「これくらいで酔うわけないじゃん、この人が」

充留が言い、

「だよな」

正道は笑顔でうなずき立ち上がる。音楽がちいさくなり、マイクを持った邦生が二次会の説明をはじめる。

「挨拶なんかすんの」充留が呆《あき》れたように言う。

「そりゃするでしょ。結婚式のときだってしたじゃん」裕美子は笑って立ち上がり、正道のあとに続く。

「それでは新たな道を歩きはじめるお二人から挨拶があります」

正道にマイクが渡される。その背後に立って、正道の後ろ姿を裕美子は眺める。正道が話しはじめる。冗談を言ったらしく、会場から笑い声が起きる。野次が飛ぶ。

「そんなわけで、二次会もこいよな、帰んなよな」正道は言い、ふりかえって裕美子にマイクを差し出す。裕美子はそれを受け取り、ものめずらしい野菜を観察するようにマイクを見つめる。ざわめきはゆっくりと静まっていく。裕美子は顔を上げる。ステージに見立てたフロアの真ん中にライトがあたっているせいで、人々は影みたいに見える。私が何か言うのをみんなが待っていると裕美子は思う。

「もし今私が二十歳だったら」マイクを通じて発される自分の声を、他人のもののように裕美子は聞いた。「この人と別れることはかなしくてかなしくて、この会場を爆破したかもしれない」おお、爆破しろ、とだれかが叫び、短く笑いが起きる。「でも私は今三十四歳で、今、なんだかうれしくてたまりません。この人と別れることがうれしいのではなくて、この先の予測がつかないことがうれしいんです」店の奥、バーカウンターに寄りかかる宇田男が見える。充留がいつのまにかその隣に立っている。「ここにいるみんなは、澤ノ井正道といっしょにいない私を知らない。私も、澤ノ井正道といっしょにいない自分がどういうふうであったか、もう忘れてしまいました。だから明日から、自分がどうなるのかぜんぜんわからない。そういうことが、すごく楽しみだと思えることがうれしいです。そうだ、忘れてた、正道くん、お誕生日おめでとう」

拍手が起きる。花束を抱えた麻美があらわれ、正道と裕美子にひとつずつそれを渡す。また拍手。裕美子は正道と顔を見合わせて笑い、頭を下げてみせる。音楽がかかる。レニー・クラヴィッツ。二十三歳のときに聴いた曲。フロアの照明が明るくなり、ざわめきが戻り、みんなのろのろと出口に向かいはじめる。

「明日からがんばろうな」と、花束を持った正道が言う。「おれ、応援してるし」

裕美子にとっては芝居じみて見えるが、正道が本気で言っているると裕美子にはわかる。そういう言葉を照れずに言える、鈍感さとも言える品のよさが正道にはある。だから裕美子も心から言う。

「私も応援しているよ。いろんなことがうまくいくようういつも祈ってる」

二次会場までの短い道のりを、麻美と邦生に挟まれて裕美子は歩く。すぐ前を、宇田男と充留が歩いている。歩道は、居酒屋やコンビニエンスストアのネオン看板でやけに明るい。そこここで、学生たちが輪を作って騒いでいる。歌をうたったり、しゃがみこんで吐いていたり、声高に会計をしていたり。みんな子どもに見えた。学生ってこんなに子どもっぽいのかと裕美子は驚いて彼らをじろじろと見てしまう。

「そういや新学期だもんな、新歓コンパがもうはじまってんのかな」

「ついこのあいだのような気がするけど、もう十五年も前のことになるのね」

「ってことは、こいつら、おれらが大学入ったときに赤ん坊だったってこと？」

「私たちが大学入ったときにようやく言葉を覚えたって感じじゃないの」

邦生と麻美のやりとりを裕美子は上の空で聞いた。

ずっとおんなじ場所にいたという、昨日感じたばかりの感覚を、裕美子はふたたび色濃く味わう。十五年なんて本当はたっていなくて、私たちは、いや、私だけ、おんなじ時間で足踏みをしていたのではないか。前を歩く充留と宇田男、隣を歩く麻美、姿の見えない正道。十五年前とまったくおんなじ光景に裕美子には見える。

「二次会、居酒屋なのよね。卒業コンパやったところとおんなじビルじゃない？」

「そうそう、三十人で予約とれるのそこしかなかったんだって」

「やあね、なんだかほんと、タイムスリップしたみたい」

「裕美ちゃん平気？　目が据《す》わってんよ」

花束を抱え無言で歩く裕美子を、邦生と麻美がのぞきこむ。うふふ、と裕美子の口から笑いが漏れる。

「何笑ってんの」

「酔っぱらってる」

「私、十八歳からやりなおすような感じ」

裕美子は言った。本当にそんな気がした。正道と会う前に戻って、もう一度毎日をはじめるような。

「たむろしてる子どもたちと同い年みたいな気分」

「そんなことはないわよ、今までの時間が無駄だったなんてことはないわよ」

麻美が学生のころと変わらない生真面目《きまじめ》さで言う。そういうことじゃない、無駄だとかそういうことじゃなくて、なんていうか、ものすごいことなんだ、かなしいとかつらいとか、もうそんな次元じゃなくて、ほんと、なんか、びっくりしているの、私から正道を引いたら、そこでゲロ吐いてる子どもとまったくおんなじ私があらわれるんだよ、それってなんだかすごくない？　裕美子は麻美に言おうとして、けれどきっとまたとんちんかんな（そして苛立《いらだ》たしくなるような）返答をされるだろうと思い、

「麻美にはわかんないと思う、しあわせな奥さんには」そう言って笑うにとどめた。

「何よ、そんなこと言うなら、裕美子だって私のことなんかなんにもわかんないわよ、

なんにも知らないくせに、そんなこと言わないで」

小学生みたいに唇をとがらせ麻美はムキになる。

「まあまあ、いいじゃないの。しあわせって言われて怒るなんてへんだよ、ねえ邦生」

「ああ、いやだなあ、酔っぱらいは。次の店で頼むから騒いだり皿割ったりしないでくれよな」

前を歩いていた充留がふりむき、

「あのビルだってー」

駅前ロータリーに面して建つ背の高いビルを指した。それにつられて顔を上げると、ネオンに染まって赤紫色の夜空があった。

# 六月のデート

いったい全体、何がどうなってしまったんだろうと、自宅の台所で松本麻美は考える。流し台には玉葱《たまねぎ》ひとつ、アスパラ一束、パックに入った鶏《とり》もも肉がのっているが、それを見おろしても、自分がいったい何を作ろうとしていたんだか思い出せない。麻美はぴんと張りつめたパックのラップを指でなぞる。鶏肉はひんやりと冷たい。

どこか遠くからリモコンで操られているように、麻美はぎくしゃくと台所を出、ダイニングテーブルに置いた携帯電話を手にとる。メールも受信していないし着信履歴もない。

そりゃあそうよね、と麻美は思う。また連絡すると言って、二、三日のうちに律儀に電話をかけてくるような、宇田男はそういうタイプではない。たぶんもう連絡はこないか、忘れたころになんでもなかったみたいに電話してくるだけだろう。そんなことよりも夕食のほうが先決だ。携帯電話を置こうとしたとき、いきなりディスプレイがぴかりと光り、メール受信を知らせる音楽が鳴り渡った。あまりに驚いた麻美は、思わず携帯電話を放《ほう》り投げてしまう。それは鈍い音をたててダイニングテーブルに落ちた。

おそるおそる拾い上げ、携帯電話を開く。夫の智《さとし》からだった。今京橋《きょうばし》駅で、これから帰るという内容のメール。了解、と短く打って返信すると、すぐに返信の返信がくる。

夜ごはん何？　おれ昼はカレーだったの。まさかカレーじゃないよね。そのあとにへんな絵文字がある。鶏のグリルと中華炒《いた》めだったらどっちがいいかと、テーブルのわきに立ったまま、麻美はさらに返信する。返事は数十秒後。中華炒め所望。紹興酒《しょうこうしゅ》でも買っていこうかな。

携帯電話を握り宙に目を這《は》わせ、なんと返信しようか麻美はしばらく考えたが、結局なんにも返信せずに携帯電話をテーブルに置く。夫の智は、メール中毒というわけではないのだろうが、一度メールを送り出すと延々と送ってくる癖がある。絵文字入りの、どうでもいいような内容のメールである。こちらでやめないと終わらないのだ。電車のなかで本も読まないし、座れたとしても眠れないらしいから、きっと暇なんだろうと麻美は思う。

えーと、中華炒めね。独り言を言いながら、台所に戻り、麻美は冷蔵庫を開けたり閉めたりする。

鶏もも肉や玉葱のほかに、大根、瓶に入った山椒《さんしょう》の実を流し台に並べ、並べてすぐさま、何を作ろうと思っていたか忘れてしまう。

明らかに調子が狂ってしまった。そのことを認めざるを得ず、認めてしまうとしかし、調子が狂っていることに麻美はさらに動揺する。

なんで私だったんだろう。離婚したての裕美子でもなく、学生時代に仲のよかった充留でもなく、そのほか、あの場にいた華やかで明るいその他大勢の女の子たちではなく、どうして私だったんだろう。でも、間違いなく私だったんだ。宇田男が声をかけてきたのは私だった。

四月の離婚パーティからずっと考え続けているおんなじことを、麻美はまたもやくりかえしている。

あの日、イタリア料理屋で一次会があり、学生のころ利用していたような居酒屋で二次会があり、三次会がカラオケ屋だった。二次会に集まった三十数人がそのまま三次会へとなだれこみ、カラオケ屋にそれほどの人数が収容できる部屋はなく、じゃんけんでチームに分かれ、数人ずつのグループごとにワンフロアの個室におさまった。麻美は澤ノ井正道や邦生とおんなじ部屋になり、いつものごとく歌わずに、彼らが歌うのにあわせて手拍子していた。途中、トイレに向かったとき、廊下で宇田男と鉢合わせた。何か立ち話をして、気がついたら踊り場にいた。

立ち話から踊り場まで、いったい何があったのか、幾度も麻美は思い出そうとしてみた。けれどいつだってそこだけ、抜け落ちた歯みたいに記憶がとぎれて、思い出せない。とにかく気がついたら、踊り場で宇田男と抱き合っていた。唇を吸いあうように粘ついたキスをして、宇田男がブラウスの内側に手を突っ込むのを許していた。

自分の体に触れられる、というのは、麻美にとって、百年ぶりのように感じられた。唇や耳たぶやうなじや乳房が、ただ合理的なだけの器官ではなくて、何かもっと別の意味を持ったものだと、このときはじめて知らされた思いだった。

ここでやっちゃおう、と言って宇田男は笑った。言われるまでもなく、やってしまいたいと麻美は思ったのだが、それを実行に移すには、酔いが足りなさすぎた。ほとんどしらふの状態で、カラオケ屋の踊り場で性交するのは、麻美にはずいぶんと難しい芸当だった。それで、今度ね、と言ったのだ。今度ね、また機会があったらね。機会があったらねと、宇田男は麻美のせりふを真似《まね》て言い、乾いた唇で麻美の頬《ほお》をなでた。じゃ、連絡する、連絡するから機会つくって。宇田男は両手で麻美の頬をおさえて言い、学生のころと何ひとつ変わらない顔で笑った。

宇田男に口説かれたと、その日、あるいは翌日の午後、充留や裕美子に言わなかったのは、それがみっともないことだと麻美にはわかっていたからだった。二十歳前後の若者じゃあるまいし、三十をとうに過ぎて、こともあろうにカラオケ屋の踊り場で、いちゃつくなんてまったく洒落《しゃれ》にならない。これがもし十五年前だったら、みんな顔を輝かせて話を聞いてくれただろうけれど。

メールがきてからきっかり三十分後に、夫の智が帰ってくる。ただいま、と廊下から声が聞こえ、お帰り、と台所から叫び返すと、続いて寝室のドアが閉まる音が聞こえた。

鶏肉とアスパラを炒めたものと、大根とたまごのスープ、しらすおろしといんげんのごまよごし。中華というより中途半端な家庭料理が食卓に並ぶ。麻美は冷凍庫で冷やしておいたグラスを出して自分の席に置き、それからテレビのボリュームを上げた。

ジャージとTシャツに着替えてきた智は、「ただいま」と再度言いテーブルにつく。紹興酒は？ と麻美は訊《き》こうと思うが、口を開くことはない。今日はワインでも飲むか、だとか、紹興酒でも買っていこうかな、などと智はメールには打つけれど、そんなものは買ってきたためしがない。智はほとんど酒が飲めない。

スープとごはんを智の席に運び、ビール瓶を手に席につくと、智はもう食事をはじめていた。

ダイニングテーブルの椅子《いす》二脚は、向き合っているのではなく横に並んでいる。そうすれば二人ともテレビがよく見えるからだ。正面にはベランダに続くガラス戸があり、そこに、並んで座る麻美と智が薄く映っている。智は片手にごはん茶碗《ちゃわん》を持ち、テレビを見たまま器用に箸《はし》を動かしている。麻美はグラスにビールをそそぎ、冷えた液体を一気に喉《のど》に流しこむ。ちりちりと冷たいのが心地よかった。

智と麻美は食事に要する時間が異なる。酒を飲まない智は、ごはんと汁ものすべて並べて食事をはじめ、掻《か》きこむように食べるから、十五分か、せいぜい二十分で食事を終える。夕食時には酒を飲みたい麻美は、ビールのつまみにおかずを食べて、智が食事を終えてだいぶたつころ、ようやくごはんをよそい汁ものをあたためなおす。麻美の見てきた大人はみんなそういう食事の仕方だった。祖父も親戚《しんせき》も、父も母も、交際した数人の男たちも。だから結婚した当初、智の食事には驚いた。いや、思い返せば、智の実家に挨拶《あいさつ》にいったときにも驚いたのだ、緊張していたから、驚いていることにも気がつかなかったけれど。

両親と智と弟は、まるで家族で早食いを競うように食事をした。寿司《すし》と天麩羅《てんぷら》と煮物が、ほぼ十五分でなくなった。だからその後、空いた皿を前にしての会話がやけに長く感じられ、麻美にはひどく決まりの悪い時間だった。

結婚して最初の数カ月は、自分も智の食事に合わせようとしてみた。テーブルに、ごはんも汁ものもすべて並べてから箸を取り、黙々と食べる。できないことはない、子どものころはそうしていたのだから。けれど途中で麻美はあきらめた。一時間近くかけて作った食事を、たった十五分で腹におさめるのは、世界が急にモノクロになったみたいにむなしく思えた。食べ終えてから飲む酒もまずかった。

麻美が、晩酌ではじまって一時間近くのろくさと食事をするようになっても、智はなんにも言わなかった。以来、並んで席につきながら、まったくちがう時間で夫婦は食事をしている。

テレビは、失踪《しっそう》した人間をさがしだすという内容のものだった。たいてい同じ時刻に帰ってくる智は、この曜日、必ず食事の際にはこの番組にチャンネルを合わせる。よっぽど好きなのだろうと麻美は思っていたが、最近では自分も集中して見ていたりする。

同窓会があると言って出かけた妻が、なんの連絡もよこさずそのまま戻らない。心当たりはまったくない、事件に巻きこまれたにちがいないと、深刻な顔で夫が訴えている。だって莢《さや》をむいたそら豆が流しに出ていたんですと幾度も幾度もくりかえす。出ていく意思のある人間がそら豆なんかむきますか。妻の写真が幾度も大写しになる。探偵たちが夫婦の家を調べ妻の友人を調べていく。夫の知らない妻の借金が見つかり、意外に派手な交友関係が暴露される。

「逃げたんだよ」ふいに智が言う。もう食事を終えている。「事故じゃなくて」

「そういうの、多いよね」二本目のビールを冷蔵庫から取り出しながら麻美は答える。

「先々週のも結局、逃げてたもんな。ほら、あの、オタクっぽいおとなしいダンナ」

「そうだったね。自分の意思で失踪する人って意外に多いよね」

画面がコマーシャルになると、夫は自分の食器を重ねて台所へ持っていく。番組がまたはじまるとあわてて戻ってきて、ソファに寝そべりじっとテレビを凝視する。

智は、メールだと饒舌《じょうぜつ》だが、実際に顔を合わせているとほとんどしゃべらない。会った当初はもう少しおしゃべりだった気もするが、だんだん口数が減った。けれどそれで麻美になんの不服もない。麻美もまた話すことがない。仲が悪くて会話が減ったのではなく、距離が近くなったから話す必要がなくなったのだと麻美は思っている。その証拠に、沈黙はちっとも苦ではなく気詰まりでもない。

子どもを作る努力を双方放棄したのが二年前で、会話とスキンシップが激減した時期が、それと重なっていることは麻美も気がついている。それにしたって、麻美にしてみれば、関係の悪化ではない。私たちが真の意味で近しくなったのはあの時期なのだと麻美は思っている。何かの罰としか思えない不妊治療、夫婦のあいだの重苦しい沈黙、孫を欲しがる双方の親への弁解、もういいじゃないか、いたっていなくたって自分たちは何も変わらないと二人で結論を出すに至るまでのあの時間が、自分たちを本当の夫婦にしたと麻美は信じて疑わない。

でもなんだか不思議だわ、と、智の食べ残したしらすおろしを箸で掻き集めふと麻美は思う。真の意味で夫婦になった私たちが、この曜日のこの時間、必ず失踪人をさがすプログラムにチャンネルを合わせ、現実から（望むにせよ望まないにせよ）出ていく人たちを黙って眺めているのは、なんだかすごく不思議だわ、と。

充留と裕美子に電話をかけたのは、六月二十日にした宇田男との約束が、彼女たちに知られているのではないかと急に不安になったからだった。麻美の癖だった。自分のやっていることが、彼女たちに知れ渡っていて、陰で笑われているのではないかと思ってしまうのは。もちろん、彼女たちが、親しい友人のことを噂《うわさ》して笑うようなタイプの人でないことを麻美は知っている。だからそれは、彼女たちの問題ではなく自分の問題であることも麻美は知っていた。高校を出たときから、つねに麻美は気後れしているのだ。充留と裕美子、くわえて正道や宇田男といった友人ができてさらに、その気後れは強くなり、それから十数年たっても未《いま》だ弱まる気配はない。

「土日も働いてんのよ」電話口で充留は不満げに言った。よっぽど鬱憤《うつぷん》がたまっているのか、麻美がなぜ電話をしてきたかも訊かず（そのほうが麻美はありがたかったが）、一方的に話し続けた。「だいたいさあ、金曜日の深夜にバイク便寄こして、月曜朝一に戻せって、二日間働けって言ってるのとおんなじじゃない。その二日、自分は何やってんのよ、おうちでよきパパでも演じてるんでしょうが、って言いたくなっちゃう」

充留の仕事の話は、八割方麻美には理解できない。バイク便という運送手段があるのも知らなかったし、朝一で何を戻せと言われているのかもわからない。わからなくてもしかし支障はない。忙しいのだということは理解できるから。

「でもいいじゃない、恋人がごはんを作ってくれるんでしょ」ダイニングテーブルにつき、カーテンを開け放ったガラス戸の向こう、霞むように降り続く雨を見つめて麻美は言う。

「それがさあ、あの馬鹿《ばか》、まともに作れるのパスタしかないの。ほかのものも挑戦するんだけど、うまくいくのはパスタだけ。この三日、昼夜昼夜と、私ずーっとパスタ食べてんの。イタリア人じゃあるまいし」

「じゃあ今度私が何か作りにいってあげようか」よかった、何も知られていないようだと麻美は安堵《あんど》する。

「ああ、きてきて！　材料費も手間賃もぜんぶ払うから。そうだなあ、私はやっぱり和食が食べたい。出汁《だし》巻きたまごに揚げ出し豆腐に若竹煮にカレイの煮つけに……とまんなくなっちゃったじゃないのよう！　ああもう、今日もきっとパスタ。汗がオリーブオイルのにおいするよ」

充留にあわせて笑い、じゃあまた電話すると、麻美が電話を切りかけると、

「なんだったっけ、用事」充留が訊いた。

私宇田男と会うの。連絡がきたの。月曜日の一時に新宿《しんじゆく》なの。たぶん、きっと、その日、そういうことになると思うの。心のなかでせわしなくつぶやきながら、

「ううん、どうしてるかと思ってかけただけ。じゃあまたね」

麻美は静かに言って電話を切った。

「この年ではじめて合コンに参加した」と、裕美子もまた、一方的に話し出す。こちらにも知られていないようだと麻美はほっとする。「この一カ月で三回。ねえ、合コンって楽しいもんだね。私、こういう楽しさを知らずに三十代になったんだなあって、神さまとかそういう人を恨みたい気分」

裕美子は雑貨を扱うちいさな店で働いている。学生のアルバイトとほとんど変わらないような仕事だと、裕美子本人も言っている。電話口の向こうから、ちいさく音楽が聞こえてくる。声をひそめず話し出すということは、ほかの店員も客も、今はいないのだろうと麻美は理解し、

「それで、だれか好きな人はできたの？」と訊いた。

「できないできない。私、なんだかものすごい慎重派なわけよ、そんなことに今ごろ気づいたってわけよね。その日こっきりでお持ち帰りとか、そういうのってこの年でもうできないじゃないの。勢いっていうか、そういうのとは無縁だよね」

カラオケ屋の踊り場のことを言われているのではないかと、麻美の笑いは一瞬こわばる。

「でも楽しいのよ、好きな人できなくても、男の人とお話しして、女扱いされるのは本当に楽しい。恋愛の可能性があるかもって思うだけで楽しい。たまには麻美も出てきなよ、ほんと、楽しいから」

「澤ノ井くんとは連絡なし？」話題を変えるために麻美は訊いた。

「あーなしなし。あるわけないじゃん。別れたばっかで。そういえばさあ、あのパーティのあとで、麻美と宇田男どっかいった？」

どきりとする。息が止まるかと思ったほどだった。

「え、なんで」かろうじて麻美は言う。

「一次会でも二次会でもなんかいっしょにいて、帰るとき見なかったからってだれかが言ってたから」裕美子の口調はどうでもよさそうだったけれど、受話器を握った麻美の手には不必要に力がこもる。

「だれかって、だれ？」

「さあ、邦生だったかだれだったか」

「どこへもいくわけないじゃない、宇田男が私なんか相手にするはずないじゃない」

「そうよね、っていうか、逆だよ、麻美が宇田男なんか相手にするはずがないじゃんね。私もそう言ったんだけど……あ、お客さんきた、じゃあまたね、また電話する」

電話は一方的に切られ、麻美はしばらくダイニングテーブルに肘《ひじ》をついたまま、電話の不通音を数えていた。雨は音もなく降り続いている。大丈夫、だれにも知られていないし、だれにも笑われてなんかいない。心の内でつぶやいて麻美は通話終了ボタンを押す。ソファからクッションが転がり落ちているのに気がついて、立ち上がり、それを拾いにいく。

待ち合わせの場所は新宿の書店で、麻美は十五分も早くついてしまった。当然店頭に宇田男の姿はない。店内に入り、新刊書のあたりを麻美は歩く。ずらりと並んだ色鮮やかな表紙を見ても、知っている名前の作家はいない。学生のころは、知らない名前のほうがなかったくらいなのに。

なんだか自分が急にみすぼらしい存在に思えてくる。昨日から選んでおいた服――襟《えり》元《もと》がフリルになっている淡いブルーのシャツに黒いクロップトパンツ――も、なんだか垢抜《あかぬ》けなく思える。パンツに合わせたつもりだった黒のパンプスが、いかにも重たげに感じられる。学生のころも、そういえばこんな心持ちだったと麻美は思い出す。地方の女子校を出て入学した大学では、みんなやけに華やかに見えた。クラスメイトの女子たちは、自分の知らないことでのみ構成されているように見えた。それはブランド店の名前でありレストランやバーの名前であり化粧品のメーカーであり、小説家であり映画であり音楽であり、男子とのつきあい方であった。彼女たちの口にのぼるもので麻美が知っているものは、何ひとつないといっても過言ではなかった。自分が卒業した女子校は県随一の進学校で、そこでつねに上位の成績をとっていたことなど、なんの自慢にも自己証明にもならないことを、上京して一カ月で麻美は思い知った。持ち前の忍耐力と地道な努力で、話に出るひとつひとつを麻美は学習していったのだった。モスコミュールとは何か、ピザマルゲリータのマルゲリータとは何か、チャージとは何か、テトリスとは何か、バベットの晩餐会《ばんさんかい》とは何か、ビバユーとはA.P.C.とは何か、ベルベットアンダーグラウンドとは何か、タルコフスキーとはだれかアアルトとはだれか澁澤龍彦《しぶさわたつひこ》とはだれか、まるで受験勉強がまだ続いているかのように熱心に、麻美は学習し、習得していった。しかし、センスまでは習得できない。今だったら「いけている」「いけていない」と言うのだろうが、やっぱり当時も、その選択が「かっこいい」か「ださい」かという選別はあった。A.P.C.の服にミハマの靴を合わせたらださい、そういうことまで、しかし麻美に習得することはできず、だからいつもびくびくしていた。ださいと思われるのではないかと気が気ではなかった。

充留や裕美子と知り合ったのは二年にあがってからで、彼女たちとはサークルでも語学でもなく、「ドイツ観念論」という授業がいっしょだっただけにすぎない。だからなぜ親しく口をきくようになったのか、麻美には思い出せないのだが、けれど彼女たちに会って心底ほっとしたのは覚えている。なんというか、マイペースな人たちだった。「かっこいい」も「ださい」もなく、好きなものを着て好きなように振る舞っているように、麻美には見えた。この人たちといっしょにいれば安心だと、二十歳前の麻美は思った。二年の夏休みごろには、なんとなく連《つる》んでいるグループができあがっていた。充留に裕美子に、正道に宇田男に、ときどき姿をあらわすその他数人。

そのグループ内にも、通常とは異なる「かっこいい」「ださい」が存在することを、二年の終わりごろになって麻美は知ることになる。どの服を着ていたらださいというのではない、洋画より邦画のほうが好きだからださいというのではない、何かもっとこう、見えないような境界線だった。たとえば正道が浮気をしたと飲み会で泣き出す裕美子はかっこわるかったが、ださくはなかった。クラスやサークルの飲み会のあとよく知らない男の子とすぐに寝てしまう充留も、ださくはなかった。彼らがださいと判別するものがあるとするならそれは、固定観念で凝り固まったような退屈な人間だった。女が煙草《タバコ》を吸うなんてと顔をしかめる男の子だったり、持ち物すべてがわかりやすいブランドものである女の子だったり、テレビの文化人の発言とまったく同じことを言うクラスメイトだったりした。

ださい、という分類から逃れて彼女たちと連むようになったのに、そこでもまた、独特の規定で「ださい」側になっている気が、麻美はずっとしていた。未だに続く気後れの正体がそれだった。

そうだ宇田男。麻美は顔を上げる。時計を見ると、まだ待ち合わせまで十分近くある。この書店に宇田男の本は置いてあるだろうか。フロアの奥に目を凝らし、男性作家のコーナーをさがす。そう書かれたプレートはすぐに見つかり、人の多さに辟易《へきえき》しながら麻美は奥へと歩く。

「さ」の欄を見てみても、宇田男の名前はない。「さ行　その他の作家」に並ぶ本の背表紙に指を這わせても、ない。そんなものなのか。十四年程度で、本は本屋から姿を消してしまうものなのか。あんなに世間をにぎわせたのに。

ひょっとして、別のコーナーにあるのかもしれないと、麻美は店内を移動する。立ち読みする人と、同じく移動する人で、あいかわらずフロアは混《こ》んでいる。ミステリー小説と区分けされた棚の前に立ち「さ」の字をさがしはじめたとき、肩を叩《たた》かれ、麻美は悪事が見つかったかのように飛び上がって驚いた。ふりかえる。佐山宇田男が立っている。

「よ」

でれんとしたTシャツに色あせたジーンズをはいている。手ぶらで、両手を尻《しり》ポケットに突っ込んでいる。

「ああ、どうも」

思わずお辞儀をした麻美を、

「何それ」

宇田男は笑った。

おもてに出ると、雨が降り出していた。

「ち、また雨かよ。どうしよう」宇田男は空を見上げて言う。

「お昼でも食べる？　それとも映画かなんか……」麻美は困ったように言った。こういうとき、男女はいったい手はじめに何をするのかよくわからない。

「飯か映画かって、なんか、中坊みたいだよなぁ」

どうしよう、と言ったのは自分なのに、宇田男はからかうように笑い、それで麻美はなんだかいたたまれなくなる。二十歳のころのまま、「ださい」とずばり言われたみたいで。

「じゃあこのままホテルにでもいく？」

それで、ずいぶん乱暴なことを口にしてみる。そんなことはたいしたことではない、よくあることだし実際よくあるのだと主張するように、面倒そうな口ぶりで。

「うん、そうしよ」

宇田男は麻美を見おろして、すがすがしい顔で笑った。じゃ、いこ、と子どもみたいに麻美の手首を握り、雨の車道へと飛び出していき、タクシーに手をあげる。心臓が口からどろりと出てきてしまいそうなのに、朝ごはんを遅くに食べてきてよかったと、麻美はそんなことを思っている。

学生時代の佐山宇田男は、入学したときから有名人だった。まず容姿がずば抜けてかっこよかったというのがある。着ているものはいつだってでれんとした古着で、それが端整な宇田男をさらにかっこよく見せていた。もし彼が、ぴしっとしたシャツや折り目のついたパンツなんか着ていたら、いかにもすぎてださい、と多くの女子たちは語っており、その通りだと麻美も思っていた。歩いているだけでかなり目立っていた宇田男が、決定的に有名人になるのはその年の冬だった。

一年時の創作科の授業で、宇田男が提出した小説が、その大学発行の文芸誌に掲載され、それがいきなり有名な文学賞の候補になった。それには落選したが、大手出版社から原稿依頼がくるようになり、雑誌や新聞に宇田男の名前を見るようになった。様子がいいからか、それらの頁には必ずといっていいほどでかでかと宇田男の写真がくっついていた。単行本が出たのは、宇田男が大学二年のときだった。その一冊も幾度か文学賞の候補になり、そのすべてに落ち、しかし落ちるとよりいっそう宇田男は評判になった。

その宇田男フィーバーはもちろん、大学というちいさな世界でのみ、もっとも白熱していたと麻美も裕美子たちも知っている。芸能人とはちがうのだ、いくら写真がほうぼうに出ているといっても、小説家の知名度などたかが知れている。連んで遊んでいて、知らないおばさんが宇田男にサインを求めてくることなどなかったし、若い女の子が奇声を上げて追いかけてくることもなかった。

三年にあがると、宇田男はほかのことにも手を出すようになった。当時の流行の、ストーリー性の強いコマーシャルの原稿を書いたり、インディーズバンドと組んでコラボレート本を出したり、彼らのために歌詞を提供したり、次第に小説からは離れた活動ばかりをするようになった。四年のときには、彼が元来小説家だったと思い出せる人はほとんどいなくなっていた。宇田男はモデルまがいのことをはじめたり、かと思うと、クラブイベントを企画したりし、そうして夏が過ぎると、ぱたりと学校にこなくなった。

とはいえ、よくいっしょに遊んでいた麻美たちにしてみれば、宇田男は何をしていようがまったく変わることのない、どことなくとらえどころのない男の子だった。単行本が出ようがコマーシャルの仕事で大金を得ようが、何ひとつ変化がない。かったるそうに学校にきて、飲み会やイベントに誘うと面倒そうに、けれど必ずやってきて最後までいて、自分のことはほとんど語らず、人の話を穏やかに聞いている。

麻美にとって宇田男は謎《なぞ》だった。何がしたいのか、何を目指しているのか、だれが好きなのか、そもそもだれかを好きになったことなんかあるのか、まったくわからない。学内をよく、麻美たちの見知らぬ女の子と歩いていたが、毎回顔ぶれの変わる彼女たちが恋人なのか友人なのか、それもわからなかった。酔った充留が据《す》わった目で問いつめても、いつもへらへらと笑ってかわしてばかりいる。それでも彼がいると、場はいつも華やかだった。ただの学生である自分たちにとって、宇田男はすでに何かを成した人であり、そんな彼といると、自分たちまで何か成した、特別な学生であるかのような錯覚をだれもが抱いた。ちいさな大学のなかの、ちいさなグループのなかの、かっこいいこととださいことの絶対的基準は、この不思議な男の子が作っているのではないかと、麻美はよく思ったものだった。

その宇田男が、今、二人きりで同じ部屋にいることが、麻美には不思議に感じられた。「こういうところしか知らないから」と宇田男が麻美を連れてきたのは新大久保《しんおおくぼ》のラブホテルだった。宇田男はごく自然に冷蔵庫のビールを飲み、シャワーを浴びて麻美にもシャワーをすすめ、風呂場《ふろば》から出てきた麻美にベッドの上から手招きした。

上になった宇田男が、枕《まくら》の上に手を伸ばしたとき、何をさがしているんだかすぐにはわからなかった。宇田男が子どもみたいな仕草でそのパッケージを破ってようやく、ああ、コンドームだと麻美は気がついた。

コンドームを使わなくてもいいよ、私は子どもができないから。

口から出そうになった言葉を飲みこんだ。背を丸めそれを装着する宇田男の背中を、天井の鏡越しに麻美は見ていた。宇田男の顔に視線を移したら、びっくりするほど真剣な顔でそれを装着しているので、麻美は思わず泣きそうになった。エチケットを愛情と完璧《かんぺき》に混同していた。終わったあとの多幸感にも近い満ち足りた感覚は、性交そのものに対するそれなのか、コンドーム装着へのものなのか、麻美にもよくわからなかった。

「腹減ったな」

再度シャワーを浴びてきた宇田男は、トランクス姿で風呂場から出てきて、何ごともなかったかのように言う。その宇田男が、まるきり子どもに見えて麻美はびっくりする。この人だけ、年をとり忘れているんじゃないかと半ば本気で思う。

「ごはん、食べにいこうか」

麻美は言っていた。智にはあとでメールを送ればいい。

「おう、いこういこう。この近くに、すごいうまい韓国料理屋があるんだ。あ、辛いもの平気？」

「うん、大好き。ちょっと待ってて、私もシャワーを浴びてくるから」

携帯電話を握りしめて麻美は風呂場へと向かう。洗面台に寄りかかるようにして、智にあててメールを打つ。裕美子と食事をすることになったので、夜は何か適当に食べてください。返事はすぐにくる。了解（へんな顔文字）。冷凍庫に何かあったっけ？

麻美はいらいらと返事を打つ。炊き込みごはんと、こないだの餃子《ギョーザ》の残り、生のままだから食べるなら水餃子にしてね、あとはたしか冷凍の春巻きかコロッケ。送信ボタンを押して、せかせかと風呂場に入る。においがつくのが気になって、シャンプーもボディソープも使わずシャワーだけ素早く浴びる。風呂場から出ると、智から返信がきている。

じゃあ春巻きと水餃子で中華セットにするかな。ごはん、何食べにいくの？

無視しようかと思うが、なんとなく後ろめたくて返事を書いてしまう。たぶん韓国料理。できるだけ早く帰るね。また返事。いいよゆっくりしてきなよ、二人で会うのは久しぶりなんだろうし（ここにも不思議な顔文字）。おれは適当にやって適当に寝てるから。大急ぎで体を拭《ぬぐ》い、下着を身につけ、眉《まゆ》を描《か》き口紅を塗り、ありがとう、じゃあ先に寝ててね、とメールを打ち、丸めて持ってきていた服に袖《そで》を通す。またピロピロとメール受信音が鳴り、麻美はため息をつき携帯電話を開く。オッケイ、そうします、明日も雨だって、いやんなっちゃうね（麻美には泣き顔のように見える顔文字）。これにまた返信したらさらにまた返信がくるのだろうから、このへんで終了にしようと麻美は携帯電話を閉じ、鏡に顔を近づけ左右の眉をチェックする。

ラブホテルの部屋にも廊下にも窓はなく、なんだか深夜のような気がしていたが、受付の奥にかかった時計は四時を指している。厚化粧の中年女性が顔を上げず、金額を事務的に言う。てっきり宇田男が出すのだろうと思っていたが、彼は少し離れた場所で、空き部屋を示す電光掲示板を眺めている。麻美はあわてて財布を取り出し支払いをすませた。

「近くだから、走ろうぜ」

ラブホテルの自動ドアを出ると、宇田男はさっきと同じように麻美の手首をつかんで走り出す。路地を出るとにぎやかな通りにぶつかる。濡《ぬ》れた歩道に、店々のネオンが反射している。車が水しぶきをあげて行き交っている。

「そこさあ、カムジャタンが辛くて絶品なの、たぶん東京で一番辛いと思う」

走りながらふりかえり、宇田男は怒鳴るように言って笑った。カムジャタンが何か麻美は知らなかったが、「へえ、いいね」とやっぱり叫ぶように言った。前を走る宇田男のTシャツはあっという間に濡れて、背中にぴたりとはりついている。肩胛骨《けんこうこつ》が丸く突き出しているのが、やっぱり子どもみたいに見えた。赤や紺の傘をさした人々の合間を縫って麻美は走った。水が跳ね返りパンプスのなかがぐちゃぐちゃと濡れる。そんなこともなんだか愉快に感じられた。

「あそこ、あそこ」角を曲がった先の、白い明かりを指して宇田男は言う。「うわ」麻美をふりかえった宇田男は大声を出す。

「何、何よ」訊くと、

「ブラジャーすけすけ、やばすぎる、急げっ」

宇田男は麻美の手首を離し、白い明かり目指してスピードを上げ走り出す。麻美はバッグを抱えて胸を隠し、やっぱり足を速めた。そうしながら、笑い出していた。なんだかおかしくてたまらなかった。笑いはあぶくのように次々とあふれてやむことがなかった。透明の水しぶきをあげて走る宇田男の後ろ姿を見ていたら、ふいに、まったく関係のない映像がくっきりと浮かんだ。

そら豆だった。莢から出した薄緑の大きな豆。流し台にころころと置かれた数粒の豆。これはなんだっけ。勝手に思い浮かんだ光景をいぶかりながら、宇田男に続いて店に飛びこむ。店は空いていて、白々とした明かりの下、店員たちがびっくりしたように二人を見遣る。

奥のテーブル席で向かい合って座る。

「生、二つ」店員に注文してから、「あれ？ 飲めたよね、段田さん」宇田男は麻美に確認する。麻美はバッグを胸に抱えたまま笑い出す。当然のようにまず酒を注文する男がなつかしくて、また同時に、段田という旧姓がなつかしくて、笑う。そういえば、私は段田麻美だったと思い出す。

ビールジョッキを意味もなくぶつけ合ったとき、麻美は急にさっきの光景の出所に思い当たる。同窓会にいくと言って帰ってこなくなった見知らぬ女が、流しに出しっぱなしにしておいたそら豆だ。その映像を見たわけでもないのに、それはまるで自分が置き残したもののように、麻美の前に鮮やかに浮かび上がってなかなか消えない。

# 八月の倦怠

いやな予感は、四月からすでにあった。

離婚届を出してそのままパーティになだれこみ、結局残った数人と朝まで飲んだ。二次会の途中あたりで、澤ノ井正道が携帯電話を確認すると、着信が四回にメールが二通入っていた。すべて野村遥香からだった。

心配しています。どうなったのか教えてください。

メールは二通とも、同じ文面だった。非常階段と記されたドアを開け、使用済みおしぼりがぱんぱんに詰まった袋と、生ゴミが詰まっているらしいゴミ袋が積んである非常階段の踊り場で、正道は遥香に電話をかけてみた。

どうだった？　と訊《き》くので、離婚届を出したこと、まだそのパーティの最中であることを伝えると、明日会いたいと遥香は言った。七時に、外苑前《がいえんまえ》の改札で待ってる。遥香は一方的に言って電話を切った。

パーティ翌日の日曜、中野のウィークリーマンションに帰って、正道は倒れるようにして眠った。酔いと疲れで感慨など何もなかった。起きたら不動産屋をまわろうと、眠りに落ちる瞬間にうっすらと思った。けれど目覚めると夕方五時を過ぎていて、あわててシャワーを浴び、髭《ひげ》を剃《そ》り髪を整え、部屋を飛び出なければならなかった。今日不動産屋にいけなかったとなると、部屋さがしは来週までできない。ウィークリーマンションの滞在期間をのばさなくてはならないと思うと、げんなりした。

地下鉄を乗り換え外苑前にたどり着くころには、正道は疲れ切っていた。酔いも抜けていなかった。八時間以上眠ったのに、眠気が濡《ぬ》れた綿みたいに体じゅうに詰まっている気もした。

なんで外苑前なんだ？　という正道の疑問は、遥香が目当ての店のドアを開けてもまだ解けなかった。路地を入ったところにあるイタリア料理店の予約を遥香はしていたらしく、予約札の置かれたテーブルに案内された。窓際の席だった。

メニュウを広げ――二日酔いのさなかにイタリア料理を食わなければならないことに正道はうんざりしていたのだが、顔には出さず――、料理を注文した。遥香のシャンパンと正道のビールが運ばれてきて、遥香はようやく口を開いた。

「ねえ、覚えてる？　ここ、澤ノ井さんとはじめてきたお店なんだよ」

はじめてきたときの記憶は正道にはほとんどなかったが、外苑前の謎《なぞ》はそれで解けた。

店内は必要以上に薄暗く、テーブルの上の蠟燭《ろうそく》が、ちらちらと遥香の顔を照らしていた。遥香はシャンパングラスの脚を指でなぞりながら、今日は特別な日だから、特別な場所で会いたかったのだと、重大事を打ち明けるように言った。

それだけならまだよかった。二日酔いに外苑前でイタリア料理というのは正道にとって最悪だったし、離婚したことに何か特別な意味をつけられるのは心外だったが、遥香の気持ちがわからないでもなかった。なんといったって彼女はまだ二十五歳なのだ。

けれどそれだけではなかった。ワインとともにパスタが運ばれてきて、ワインをグラス半分飲んだ彼女は、ずわい蟹《がに》だか手長海老《てながえび》だかのパスタから顔を上げ、正面から正道を見つめたまま、ほとりと涙を流したのである。左右の目から一滴ずつ。

「なんだか夢みたい、ありがとう正道さん」

遥香は早口で言うとパスタに戻り、あとは顔を上げず、何も言わなかった。

自分が急激に鼻白んでいくのを、正道はひとごとのように感じていた。つまりたいへんに戸惑っていた。遥香が泣いたことにではなく、自分が鼻白んだということに。それで懸命に、自分自身を説き伏せようとした。それくらいかわいそうな思いをさせてきたんだよ。泣くくらい思いつめていたんだよ。罪悪感を覚えるならまだしも、鼻白むってのは人としてどうよ。もし、遥香の向かいに座る男が友人だったら——宇田男や邦生だったら——、正道は実際彼らにそう言っただろう。心をこめて。

しかし、止めようがなかった。彼女が泣いたことばかりではない、澤ノ井さんから正道さんと呼び名が変わったこと、泣いておきながらもずわい蟹だか手長海老だかのパスタをぺろりと平らげ、かつメインに羊肉のローストを平らげ、正道の頼んだ真鯛《まだい》のポワレも二口「味見」し、デザートにケーキの三種盛りを頼んでそれもすべて平らげたこと、その日、蠟燭の灯《とも》るテーブルで行われたすべてに対して、急激に気分が白けていくのを止めようがなかった。

そして今、正道に背を向け雑巾《ぞうきん》がけをする遥香を見て抱く感想は、四月のイタリア料理店と、等しく同じものである。

新居は五月の連休にようやく決まった。職場に近い恵比寿《えびす》か代々木《よよぎ》あたりに、ワンルームを借りようと正道は考えていたのだが、もっと広めの部屋を借りたほうがいいと遥香が主張した。いっしょに暮らすことになるかもしれないのだから、都心から少しくらい離れても、ファミリータイプの部屋がいいと。そう言われればそうなような気もしたし、見てまわったワンルームは極端に陽当《ひあ》たりが悪かったり築年数がたっていたり、条件があまりにも悪すぎたのとで、場所にこだわらず広さを優先して部屋をさがし、結局、借りることになったのは、東京に近いとはいえ、千葉県のマンションだった。八階建ての五階、2LDKで九万八千円、管理費二千円のちょうど十万。

会社員ではない遥香は、休日が不定期で、休みのたびにこのマンションにきている。

合《あ》い鍵《かぎ》でなかに入り、正道のためこんだ汚れものの洗濯をしたり、掃除をしたり、料理を作ったりして正道の帰りを待っている。最近では、週末に休日をとるようにして、土曜日の朝からやってくる。正道にしてみればたいへんありがたい話だった。通勤一時間半はさすがにきつくて、掃除も洗濯もまるでする気になれなかったから。

いっそそのまま、ここに住んでしまえばいいのにと思ったし、遥香にもそう言った。けれど遥香は、その話になるたびに、大仰に顔をしかめて見せた。そして言うのである。「マサくん（今や彼女はマサくんと呼ぶ）、このあいだ別れたばっかりじゃないの。別れてすぐに別の人と暮らすっていう感覚が私にはよくわかんないわ。別れた奥さんにも気の毒だし、私にたいしても無神経だと思う」と。そして彼女にとって、いっしょに暮らすということは、同棲《どうせい》ではなく結婚を意味しているらしいことも正道には理解できた。

そうして彼女は、毎回正道のマンションには泊まらずに、律儀に帰るのである。電車を乗りついで、一時間以上かけて、東中野のアパートに（こういうときだからこそ、けじめをつけないとね、というのが彼女の言いぶんだった）。

今日も、遥香は午前中に正道の部屋のインターホンを押した。洗濯機をまわし掃除機をかけ、そうして今、四《よ》つん這《ば》いになって2ＬＤＫすべての部屋に雑巾をかけている。文句ひとつ言わない。同じような日々が三カ月もくりかえされているのに、飽きる気配もない。

ソファに寝そべってはたきをいじっていた正道は立ち上がり、台所に向かう。

「なあ」と声をかけると、遥香は顔も上げず、

「ああ、いいから、座ってて。マサくんが何かすると、もういっぺんやりなおさなきゃならないんだから」陽気な声で言った。

正道ははたきを持ったまま所在なくソファに戻り、見たくもないゴルフ番組をぼんやり眺め、思いなおして、

「なあ」ソファから声をはりあげた。「一区切りついたら、どっかいかない？」

「どっかってー？」声は先ほどより遠のいた。台所から廊下に移動したのだろう。

「ここからならディズニーランドもすごい近いよ」

「夏休みだし、混《こ》んでると思うよー。暑いしねえ」

そう言われると、最初からディズニーランドなんていく気もなかったことを正道は思い知らされる。

「じゃあ、アンバサダーホテルとかヒルトン東京ベイとかで、豪勢なディナーとか」

それなら少しはいく気もある。確認しながら正道は言った。

「だって私、こんな格好で、そんなところいけないもーん」

声はどんどん遠のく。廊下の突き当たりらしい。

「平気だろー、そんなの。ドレスコードがあるような店じゃなし」

「私がいやなんだって――」

いやだと言われれば、正道だってどうしてもいきたいわけではなかった。というよりも、どこにもいきたくはなかった。ただこの部屋で、遥香の掃除が終わるのを所在なく待っていたくないだけだった。

「じゃあさ、今日、泊まっていったら？　それで明日、朝早くに出てどこかいこうよ、海とか、海浜公園とか」

返事は聞こえてこなかった。「じゃあさ――」もう一度、声をはりあげて言うと、

「海は日焼けするし――」と、果てしなく遠くから声が返ってきた。玄関わきの部屋で雑巾がけしているのだろうが、本当に、はるか遠くからかろうじて聞こえるような声に、正道には思えた。それきり正道はなんにも言わなかった。手にしていたはたきが忌々しく思え、それを足元に落とすと煙草《タバコ》に火をつけ、リモコンを引き寄せてチャンネルを変えた。ゴルフ、ゴルフ、競馬、将棋と順番に画面に映し出される。ちっ、と舌打ちをして正道はソファに横たわる。

「マサくん、いいんだよ、べつに、気なんかつかってくれなくたって」

さっき果てしなく遠くから聞こえてきた声が、すぐ背後で聞こえて正道は飛び上がるようにして上半身を起こした。雑巾を手にした遥香が、汗みどろになってソファのわきに立っている。Tシャツはぺたりと肌にはりつき、額からこめかみから、大量の汗が滴

り落ちている。

「すげえ汗じゃん、ほかの部屋、冷房つけて掃除したら？」

あはは、と大きく口を開けて遥香は笑い、「もったいないよ、そんなの。シャワー浴びてくるね、そしたら夕飯のお買いものにいこ」正道の頬《ほお》に軽く唇をつけると、ばたばたと洗面所に走っていった。洗面所のドアが閉まるのと同時に、ソファテーブルに放《ほう》り出すようにして置いた携帯電話が短く震えた。携帯電話を開くと、充留からのメールだった。

ひまだったら近況報告がてら飲まないか、とある。

おう、飲もうぜ、おれはいつでもいいよ。なんなら今日だって。

背を丸めそんな返信を打ちながら、なんだか救いの手をさしのべられたような気分でいることに正道は気がついている。

台所で作業をする遥香の後ろ姿を眺め、正道は、酔った裕美子に投げつけられた言葉を思い出している。責任が生じたとたんにケツをまくって逃げ出すような男よ、あなたは。たしか、そんなようなことだった。

蠟燭の明かりに照らされ涙を二滴こぼしたあの夜から、遥香にどんな変化があったのか、正道には理解できない。いっしょに暮らすときのためと郊外にマンションを借りさせ、けれど一年間は誠意を持ってひとりで暮らすべきだと主張し、レストランやバーや、遊園地やデパートや映画や、屋外デートをことごとく拒み、ひとり息子の世話をする母親みたいに、嬉々《きき》として家事をしに通う恋人の内面で何が起きたのか、考えても考えても正道にはわからない。わかるのは自分の内面の変化だけだ。

窮屈な場所に、理不尽に閉じこめられた、正道はそんなふうに感じていた。遥香との交際は、自身が解放されるような心地よさがあったはずなのに、離婚後、まるで世界が反転するようにそれがひっくり返った。

つい数時間前、シャワーを浴びた遥香に、飲みにいかないかと誘った。友人のカップルが近くまできてくれるらしいから、飲みにいかないか、と。遥香はみるみる顔を曇らせ、「友だちって、大学の?」と訊いた。大学の友だち、というものを、遥香は以前からやけに警戒していた。友だちは全員、正道と裕美子の交際歴を知っているのだから、それもわからなくはないと正道は思っていたのだが、裕美子とはもう離婚したのだ。

「女のほうはそうだけど、そいつの彼氏はきみと同い年くらいで、おれもよく知らないやつ」正道はそう答えたが、それは遥香になんの効果も及ぼさなかった。

「いきたくない」遥香は即答した。「その人たち、私と坂下さんを比べるに決まってるもの」

「比べるわけないだろう、しかも彼氏のほうは裕美子のことなんか知らないし。それに、比べられて劣るところなんか、きみにはなんにもないじゃない」なだめすかすように正道は言ったのだが、遥香は「いきたくない」の一点張りだった。

そうしていつものごとく、商店街に買いものに出、肉屋で肉を買い魚屋で魚を買い八百屋で野菜を買い酒屋で酒を買い、帰ってきたのが一時間ほど前である。

この町の商店街がまた、なんか気を滅入《めい》らせるんだよな、と、台所から漂う醬油《しょうゆ》のにおいを嗅《か》ぎながら正道は考える。引っ越した当初は、洒落《しゃれ》た店のひとつもない、活気を失った商店街が、なんだか新鮮に思えたのは確かである。スーパーでまとめ買いではなく、肉は肉屋で、魚は魚屋で買い求める遥香がたのもしく見えたのも、また確かだった。

しかし三カ月、週末ごとに同じことをくりかえしてみると、うらぶれた商店街はことごとく「閉じこめられた感」に拍車をかけるし、肉屋で肉を買うことの何がおもしろいんだか、正道にはちっともわからない。

「ごはん、できたよー」

台所から、春の陽射《ひざ》しのような遥香の声が響く。正道はそろそろと立ち上がり、ダイニングテーブルにつく。冷凍庫で冷やしておいたらしいグラスが運ばれ、料理が運ばれ、取り皿と箸《はし》が運ばれてくる。根菜の煮物と、キュウリと蛸《たこ》の酢の物と、ひじき煮と、蒸《む》し鶏《どり》と、しじみの味噌汁《みそしる》。乳白色の膜をはったようなグラスに、金色のビールが満たされる。

「はい、かんぱーい」

向かいに座った遥香が、笑顔で自分のグラスを持ち上げ、正道も笑顔を作ってそれに自分のグラスを軽くぶつける。

「うまそうだな」

白々しく聞こえないよう、慎重に発音し、箸を手に取る。

おままごとみたいな暮らしして、それであるとき急に責任が生じていることに気づいてあわててケツまくって逃げ出すの、わかってるし。

蛸を口に入れたとき、裕美子に言われたせりふを正道は正確に思い出した。

たしかにその通りかもな。正道はこっそり思う。遥香の急激な変化は自分の責任によって生じたのだろうし、この閉じこめられた場所から、ケツまくって逃げ出せるなら逃げ出したいと、自分は思っているらしいのだから。

あいつ、本当におれのことよくわかってんのな。正道はなんだかおかしくなる。よりによって、おれのだめなところばかり、おれよりくわしく知ってんのな。

ふ、とため息をつくように笑った正道を、遥香は顔を上げちらりと見る。

「いや、うまいなあと思って」

ごまかすように正道が言うと、遥香はテーブルに目を落とし、ぽつりと言った。

「最近、私の携帯に無言電話とか多いんだ」

「え？　どこから」

「非通知で」

「非通知なら、出るのやめたら」

正道は自分のグラスにビールをつぎ足し、数センチしか減っていない遥香のグラスにもそそいだ。泡はふくれあがるが、流れ落ちることなく表面にとどまっている。

「それだけじゃなくて、なんかときどき、あとつけられたり、見張られてる気がするときもある」

目を伏せたまま、箸の先端を唇に押し当てて遥香は言う。

「何それ。ストーカー？」

軽い気持ちで正道は訊いた。遥香の職業はダンサーということになっているが、公演だけで生活はできないらしく、スポーツクラブでモダンダンスやジャズダンスのインストラクターもやっている。不特定多数の人間を相手にしているわけだから、ストーカーじみたファンがいても不思議ではなかったし、さほど深刻なことには思えなかった。しかし遥香は浮かない顔のまま、

「っていうか、男じゃないと思うんだ」ぽつりと言った。

「女ってこと？　女のファン？」遥香が何を言いたいのか、あるいは自分に何を求めているのかわかりかね、少々投げやりな口調で正道は訊いた。

「うーんとね、電話とか、あとつけられたりとか、あのね、マサくんの離婚前後からなの」

テーブルの一点を見つめたまま、つぶやくような小声で遥香は言った。

「えーとね、たぶん、関係ないとは思うんだけど。偶然時期がおんなじってだけで」

早口でつけ加えるように言い、遥香はちらりと正道を見た。そのときようやく、正道は遥香が何を言おうとしているかがわかった。

まさか。裕美子って、そんな女だったっけ？　おれの交際相手に何か仕掛けてくるような？　まさか。——いや、でも、もしかしたら。

正道は席を立ち、ソファテーブルまで歩いていって、意味もなく冷房のリモコンを手に取り、二度温度を上げた。

「なんか、冷やしすぎだよな」ダイニングテーブルに座る遥香に言うと、

「そうだね、温暖化ストップに協力しなきゃだよね」

遥香は笑顔で言った。

キムチに海鮮チヂミ、真っ赤なケジャン、チャプチェ、そして中央の七輪には、タンとカルビが煙を上げている。めったに連れていってもらえない外食に連れだしてもらった幼いころのように、正道はそれらをわくわくと眺めた。何から箸をつけようか、真剣

に悩んだ。

「あーうれしい、韓国料理久しぶり。やっぱりアジア人はアジア料理じゃないと、なんかこう、腹に力が入んないよね」

蒲生充留が自分の胸の内を代弁するようなことを言ったので、正道は驚いて正面に座るカップルを交互に見た。充留の隣で、北川重春という名の青年は、無表情でビールを飲んでいる。ジョッキ半分ほど飲んでしまい、上唇に白い泡をつけたまま、充留がひっくり返す肉を見ている。花柄のホルターネックにデニムのスカートをはいている充留は、Tシャツ姿の重春と並んでいると、三十代にはとても見えない。ややもすると重春のほうが年上のようだった。たしか、充留の恋人は遥香とそう年齢が変わらないはずなんだけれど、と正道は思う。

「私、このところ本当に忙しかったのね、で、この人ごはん作ってくれるんだけど、パスタしか作れないんだもん、毎日毎日パスタでさ、おいしいんだけど、なんかこう、力がたまらないっていうか」

充留は言いながらせわしなく肉をひっくり返し、正道と重春の小皿に素早く焼けたものを入れる。礼を言って焼けた肉を口に入れた正道の口から、

「んめえ」と思わず声が漏れる。図らずも涙すらこぼしそうになってしまう。正道はそんな自分をごまかすように口を開いた。

「なあ、年とると食の好み変わるって言うだろ、霜降り肉なんか食えなくなって、刺身も白身ばっか食うようになるとか。そういうの、ある？」

「べつにそういうの私はないよ。ただオリーブオイル毎日だと飽きるけど、それって単に連続性の問題で年齢じゃないでしょ」

充留は自分も肉を食べながら、すかさず空いた網に肉をのせていく。

「何、澤ノ井は肉がつらいわけ？　でも脂っこいもの食べたいって言ったのは澤ノ井だよ、だからわざわざ予約して」

「いや、そうそう、おれ脂っこいもの食いたかったの。というのはね」そこで正道は言葉を切り、話していいものかどうかしばらく逡巡《しゅんじゅん》してから、結局黙っていられなくて、話し出した。「今つきあってる女の子が、なんか和食ばっか作るんだよな、和食っていうか、病人食みたいな、味の薄ーい煮物とか。そんで、こういうの久しぶりに食うと、なんかびっくりするほどうまいじゃん。おれ、おかしいのかなって」

「その子、連れてくればよかったのに」

「誘ったけど、いやなんだってさ」

「何がいやなのよ」

「裕美子の友だちと飲むってのがいやなんじゃないの」

「まあ、わからなくもないけど」

　充留が休みなく皿に盛る肉を食べながら、正道は、自分でもあやしく思えるほどの解放感を感じていた。充留と話すのは楽だった。気を使わなくていいし、言ったことの意味がそのままストレートに伝わるし、詮索《せんさく》されないし、間合いというのかテンポというのか、そうしたものが何も考えずとも合った。あまりにも解放感を感じるものだから、充留の隣に座る青年に申し訳なくすら思え、正道は彼におもねるような笑みで、

「ビール、どうする、追加しようか」と訊いてみた。

　ああ、はい、と彼がもごもごと口のなかで答えたので、正道は手をあげて店員を呼び、ビールを三つ注文した。

「でもさあ、訊きたいんだけど」

　お節介なおばさんみたいにチャプチェとチヂミを取り分けて配りながら、充留は正面から正道を見た。正道はなんだかその正視に耐えかねて、チャプチェを食べはじめる北川重春に視線を移した。重春は皿に直接口をつけ、搔《か》きこむように重春はそれを食べ、飲みこむ前にチヂミに手を伸ばす。見惚《みと》れるような食べっぷりだった。

「その女って、裕美子と別れてくっつくくらいの価値ある人なわけ？」

「うわ、価値、ですか」

　正道はのけぞって、茶化すように言った。いちばん訊かれたくなかったことではあるが、その単刀直入さが心地よくもあった。

「この人、家でもこんなかんじなわけ？　いっしょにいて、疲れない？」

正道はおおげさに顔をしかめて重春に訊いた。重春は笑顔ひとつ作るわけでもなく、

「いや、べつに、そうでもないす」

やはりもそもそと答える。

「この人は今関係ないじゃん。ねえ、私の質問に答えてよ」

ビールが運ばれてくる。充留はレバーとハラミを追加注文している。サンチュも、と、そこだけ妙にはきはきした声で重春が言った。

「価値とかじゃないよ」凍らせていたんじゃないかと思うほど冷たいビールを飲み、正道は言った。「充留だってそうだろう、人とつきあうときに価値だのなんだの考えないだろう、価値なんて言ったら、裕美子にはほかの人ではおぎないようのない価値があったし、今の彼女だって人とは比べられない価値があるよ」話し出した途中から、なんとも白々しい気分になったのだが、それでも正道は最後まで語気荒く言った。

「じゃ、後悔していないんだ、別れたこと」

「させたいみたいだけど、残念ながら」

充留が皿にのせ続けるせいで、いつのまにかたまっていた肉を正道は次々と口に入れた。

実際のところ、裕美子と別れて正解だったのかどうか、正道にはよくわからなかった。

しかしあのときは、正解も不正解もなく、そうするしかなかった。出ていってと裕美子は本気で言ったし、夫婦でいる最後の夜までこちらを批判していた。

千葉に引っ越し、週末のほとんどを商店街の往復で過ごすようになってから（なってからとはいえたった三カ月かそこいらなのだが）、しかし、裕美子との暮らしをなつかしく思い出したことは幾度かあった。そのままを言ったらたぶん充留に猛攻撃されるのだろうが、裕美子との生活は正道にとって楽だった。成功とか失敗とか、幸福とか不幸とか、安易に言葉で分類するのとは裏腹に、こうでなければならない、ということが、裕美子の内にはてんでなかった。働かなければならないとか、働くならやりがいのあることをしなければならないとか、肉より野菜を多く食べなければいけないとか、結婚したなら同棲と何か変化がなくてはならないとか、人生における規範みたいなものが、これっぽっちもなかった。いや、ひょっとしたらそれは、裕美子の内になかったのではなくて、自分たち二人が、長いつきあいのなかで意識して捨ててきたのかもしれなかった。夫らしく妻らしく、社会人らしく既婚者らしく、女らしく男らしく、三十代らしく大人らしく。言葉を交わさずに暗黙の了解で、踏みつぶしてきたのかもしれなかった。

皮肉なことに、正道が学生のときとたがわず他の女性との恋愛にのめりこんだのは、その規範のなさ故と思えなくもなかったが。

そこまで考えて正道は野村遥香という女をよりよく理解する。たぶん彼女は、そうした規範みたいなものにがんじがらめになっているに違いない。既婚者だった恋人が離婚したのは自分のせいである、ならば自分はそれに相応《ふさわ》しいことをしなければならない、自分はかつての妻以上でなければならない、自分たちの関係はかつての夫婦関係以上でなければならない。千葉のあのマンションが、なんだか彼女の規範によって作られた窮屈な城みたいに正道には思えた。

だとしたら話はかんたんだ。城を壊せばいいのだ。ねばならないなんてことはひとつもないのだと、彼女に説明すればいい。しかし、どうやって？

「後悔してないかって訊くために、飲もうなんて言い出したわけ？」

考えるのが面倒になって、正道は料理に箸をつけた。

「そういうわけじゃないけど――うぅん、ひょっとしたらそうかもね。裕美子と別れてあんたがくっついた女がどんななのか、見てみたかっただけなのかも。彼女、こなかったけどさ」

充留は言って笑った。トイレ、と言って重春が席を立った。正道と充留は無言で彼の背中を見送った。入ったときは空きテーブルが目立ったのに、いつのまにかすべてのテーブルが埋まっていた。正道と同じような、ワイシャツ姿のグループが多かった。どの席からも盛大に煙が上がっている。あちこちからわき上がる歓声が、急に大きくなったような気がした。

「なんか、機嫌悪いんじゃないの」重春の、やけに体格のいい背中を見つめて正道は言った。

「そんなことないよ、いつもあんな感じ。あれがふつうだから、べつに気にしないでね」

サンチュで肉をくるみながら充留は言う。その手元を見ながら、言おうかどうしようか一瞬悩み、結局いつもどおり正道は口を開いた。

「裕美子、どうしてる？」

「元気だよ。合コンの鬼」

「合コン？」

「男の子ってやさしいんだって、あんたと別れて気づいたんだって」充留は声を上げて笑った。

「なんかさあ、無言電話があるとか、彼女が言うんだけど」

充留は口に持っていきかけた手を止め、目を丸くして正道を見た。

「ひょっとして、裕美子だと思ってるわけ？」

「いや、そうとは言わないけど、それがはじまったのが離婚前後だって言うもんだから」

「ちょっとー、それ、いくらなんでもひどいんじゃないの。裕美子が聞いたら泣いて怒るよ。裕美子がそういうことするような人じゃないの、あんたがいちばん知ってるんじゃなかったの？　何年いっしょにいたのよ。澤ノ井、何度浮気したと思ってんの？　裕美子が一度だってそんな陰険な真似《まね》したことあった？」

肉を包んだサンチュをふりまわしながら、テーブルに身を乗り出し充留は声をはりあげた。

「いや、あの、それはそうだけど」

重春がトイレから戻ってきて、充留も正道も口を閉ざした。重春は無言のままメニュウを広げ、

「マッコリ飲もうかな」ぼそりとつぶやいている。

「あ、そうする？　私も飲みたかったんだ。じゃ、追加注文しよう。すみませーん」

充留は大きく手をふりあげて店員を呼んだ。充留はそれ以上さっきの話を蒸し返すことはなかった。ほとんど二人で言葉を交わさない充留と重春を、正道は盗み見るように交互に見た。重春はあいかわらず小気味いいほどの勢いで料理を平らげ、充留はお節介おばさんのまま料理を取り分けたりマッコリを配ったりしている。充留は学生だったころとほとんど何も変わっていないように見えた。正道が知っているものも含め、いくつかの恋愛を経て、充留がどのようにしてこの無口な青年と出会い恋をし、どのようにしてともに暮らすまでに至ったのかよくわからないが、たがいにほとんど会話を交わさな

い二人を見ていると、そうしていっしょにいることが至極自然なことなんだろうと納得できた。そんな彼らをうらやましく感じてしまうことを、正道はこっそりと恥じずにはいられなかった。

韓国料理屋を出て、充留に誘われるまま二軒はしごして飲み、最後のバーを出ると一時近かった。泊まっていけば、と充留は誘ったが、さすがに断り、タクシー乗り場で二人と別れた。千葉のマンションまで、タクシーでいくらかかるか予想もつかず、適当なビジネスホテルをさがして、正道は大久保の町をうろついた。

いい加減酔っていたし、むしむしと熱気が肌にまとわりついて不快だったが、しかしそうして歩いていると、重い衣服を一枚一枚脱いでいくような爽快感《そうかいかん》があった。大声で叫びたいような心地よさがあった。ビジネスホテルに泊まる金ももったいないような気がしてきて、目についた漫画喫茶の看板に手を引かれるようにして、雑居ビルに入った。

はじめて入る漫画喫茶は、飲み屋とも喫茶店とも違い、異様な雰囲気だった。パネルで区切られた半個室状態の部屋がいくつもあり、ひとりや二人連れの若い男女が、そういう種類の動物みたいにそこにおさまっていた。受付で料金を支払い、缶ビールを買って、個室のひとつを陣取り、正道は図書館のような書棚を歩いた。かつて学生のころ読んだ——裕美子と漫画週刊誌で読んでいた——漫画を見つけ出し、全巻引っこ抜いて個室に戻り、一巻目から読みはじめた。

なんだか自分が、隣の個室にいる、ぱさぱさの頭髪を金色に染めてジーンズを腰ではいているような若者に感じられた。気がつくと、漫画を読みながら、今日の話をおもしろおかしくまとめている自分に正道は気がついた。

充留の男、すごい無口なんだぜ。格闘家みたいな体つきして、飯をものすごい量食って。酒飲みながらごはんもの食べられるって、やっぱ若いよな。しかし充留って、宇田男系のやさ男が好きなんじゃなかったっけ。ま、宇田男よりは今のやつのほうがよっぽど似合ってるけど。それでさ、漫画喫茶、はじめて入ったんだけど、すごい世界だぜ、いったことある？　今度いってみようか、きみ意外とはまるかもよ。

まぎれもなく裕美子に向かって話すことを前提としているのだった。そのことに重ねて気づいた正道は愕然《がくぜん》とする。ほとんど習慣的に、一日のできごとを彼女に話すためにまとめてしまうのだ。彼女には、「充留」がだれだかを説明する必要も、「宇田男系」が何を指すか補足する必要もない。放《はな》った言葉はそのままの意味で伝わる。

向かいに座って、もしくはベッドの隣の位置で、笑い声を上げながら相づちを打つ裕美子の姿が、放っておいても思い浮かんだ。こうしなければならない、という決まりのひとつもない裕美子は、興がのってきてそわそわとビールやらワインやらを用意し、椅《い》子《す》やベッドにあぐらをかいて正道の話を遮って話し出すだろう。二時になろうが三時になろうが、空が白みはじめようが、話が尽きなければ眠らないだろう。「でもその格闘家だって見かけだけで中身は宇田男と同じようなもんじゃないの、だってその子、つまりは居候《いそうろう》なわけでしょ、仕事ちゃんとしてないらしいし。どうして充留みたいにちゃんとした女って、そういう男にばっかひっかかるのかな」裕美子の声までもが聞こえてくるようだった。

これって未練だろうかと、正道は漫画から顔を上げ考えるが、未練ではないと即座に答えが出てくる。なぜならば、深夜二時三時の、夢中ではじめた他愛《たわい》ない他人の噂話《うわさばなし》が、どのように収束するのかも正道には手に取るようにわかるのだ。「ちゃんとした女ってなんだよ、一般論にまとめるのはよくないんじゃないの」、裕美子の一言に正道がつい反論し、すると裕美子はなぜかムキになって突っかかってくる。「あなたが勝ちとか負けとかいう言葉を嫌ってるのはわかるけど、ふつうに考えて、充留はちゃんとしてるじゃないの、フリーであれだけ仕事をして、マンションだって買って、ああいう人をちゃんとした人って言わなくてだれがちゃんとしてるのよ。それに実際、宇田男とかその格闘家みたいな若いのとか、ヒモ状態で充留にくっついてるのは、一般論じゃなくて事実でしょ」ほとんど絡み酒である。「もういいよ、充留のことでおれたちが喧嘩《けんか》することもないじゃないか」そう言ってなだめようとすると、「こうしなければならない」のない裕美子は、「逃げないで」とよけい突っかかってくるのだ。明日早朝会議があるとか、疲れていて眠りたいとか、そういうことが通用しない。展開の細部までが予測できる。

だから断じて未練ではない。

ただ、うまくいっていたときがあったのも事実なのだ。つまらない言い合いになることなく、夢中で言葉を重ね、空が白むのを眺めていたときがあったのも。

自分が今求めているのは、裕美子との関係修復でもなく、遥香との現状打破でもなく、ちいさな城からの脱出でもなく、過去であるらしい。すでに失われ、ここにはない過去。

安っぽいパネルで仕切られた個室で導き出した結論に、正道は打ちのめされたように感じる。ああそうか、過去か、髪を金色に染めることが楽しかった年齢の自分と、ミニスカートから白い膝小僧《ひざこぞう》を出していたころの裕美子、相手の欠点も長所もよくわかっていなかった二十歳前後の自分たちか。あいつらはいったいどこにいったんだろうな、好きだの嫌いだの平気で言い合って、夜じゅう笑って起きていたあいつらは。

正道は、持ってきたばかりの漫画を全巻つかみ、棚へと戻る。暗い空白のなかにそれをさしこみ、何か興味を引くものがないかと棚の背文字に視線を這わせる。書棚の隙間《すきま》から、受付が見えた。水着みたいな格好をした女の子が、受付のわきでカップラーメンを作っている。書棚の隙間から、正道はぼんやりとその姿を見つめる。自動ドアが開き、フレアスカートをはいた女が受付に立つ。あれ、段田麻美じゃないの。正道は驚いて目を凝らし、しかしあわてて書棚に目を戻した。

専業主婦の麻美が、こんな時間に大久保の漫画喫茶にいるわけないじゃんか。目に映るものすべてが過去と関連してるなんて、よくない兆候だ。まったくよくない兆候だ。欲しがって、もっともどうしようもないものが過去なんだから。正道は首をふり、もはやなんの興味も喚起させない漫画の背文字を、ただずらずらと順番に読み上げていく。

# 九月の告白

　手続きを終え、銀行を出る前に、充留は通帳を広げてまじまじと見入った。ゼロがひとつ減った。それを確認してから充留は銀行を出、まばらに人の行き交う歩道を歩く。マンションローンの残高を繰り上げ返済していくことは、充留に、ダイエットが順調に進んでいるような快感をもたらす。うまくいけば、と充留は歩きながら考える。うまくいけば再来年、うまくいかなくとも五年以内にローンは完済するだろう。気分がよくなって、充留は駅前のスーパーに立ち寄る。

　今日の仕事はもうやめてしまおう。充留はそう決め、かごを片手に、空いた店内を歩きまわる。明日から続く毎日が、悪いことばかりのような気がするときと、反対に、いいことしか起きないような気がするときがある。理由なんかなくて、ひらめくみたいにそう思うのだ。もちろんどっちも当たることなどないことを充留は知っているのだが、それでもふいに、そうした気分にとらわれてしまう。今日は後者だった。九時過ぎに起きたときからそうだった。リビングで早くもゲームをしている重春を見ても、その気分は壊されることがなかった。

午前中に三本のコラムを書き、昼にはメール送信し、重春の作ったパスタを食べながら、繰り上げ返済のことを思い出し、かんたんに化粧をして家を出た。

献立を組み合わせながら、野菜や肉類を吟味してかごに入れていく。気分が盛り上がりすぎて、和紙に包まれた高価な醬油《しょうゆ》や、羅臼《らうす》産の昆布や、玄米までかごに入れていた。両手をふさぐスーパーのビニール袋がうんざりするほど重くても、充留は上機嫌のままだった。スーパーを出、夏に逆戻りしたような陽気のなか、汗を流しながら歩き出す。

ローンを完済させたら、どうしようかな。上機嫌のまま充留は考える。こめかみから汗が滴る。重春が免許を持っているから、車を買おうかな。それとも、海の見える町に別荘を買おうかな。一夏まるまるそこにいる。ヘミングウェイみたいに、夜の明けないうちから起き出して、仕事をして、午後早くに泳ぎにいくか、ベランダでウイスキーのソーダ割りを飲む。花火大会がある日には、みんなを呼んでバーベキューをする。

とてつもなくすばらしいアイディアに思えた。そこでなら、本来自分がやりたかったことを存分にやれるような気がした。きっと近隣に大型書店はないだろうけれど、資料はネットで注文すればいい。

充留は立ち止まり、斜め掛けした鞄《かばん》からハンカチを取り出して、顔じゅうから噴き出す汗をぐるりと拭《ふ》いた。

マンションに帰り、廊下とリビングの仕切り戸を開けると、重春はソファに寝転がって週刊漫画を読んでいた。

「ものすごい緻密《ちみつ》な人生設計ができた！」

充留は荷物を床に置き、大声で言った。重春はびくりと体をこわばらせてふりかえり、

「あーびっくりした」

つぶやくように言ってまた漫画に戻る。スーパーの袋の中身を、次々とダイニングテーブルに並べながら、充留は切れ目なく話した。

「あのね、二年後に私、別荘買うことにしたから。それでね、最初の夏にそこにこもって、一冊本を仕上げるの。いつもの馬鹿《ばか》コラムなんかじゃなくて、ずっと書きたかったものがあるんだ。知り合いの編集者にまずは売り込んでみるけど、相手にされなかったら応募する。だからね、あと二年のあいだはちょっと我慢して、不本意な仕事もばりばりやって——ねえちょっと、聞いてる？」

「聞いてるよ」漫画から顔を上げずに重春は答える。

「毎年、夏はそこで過ごすの。そしたらさ、車も必要になってくるじゃん？　でも別荘と車を同時にってのは無理だから、車はまず安い中古を買って。私、免許持ってないけ

ど、重春は運転できるよね」

　肉や果物を冷蔵庫にしまいながらも充留は話し続けた。重春からの返事はなかったが、充留はもう聞いているか確認せずに、ひとりで話した。

　バーベキュー計画のことまで話したとき、電話が鳴った。ぬるくなって表面に水滴をつけた缶ビールをしまおうとしていた充留は、それを持ったまま冷蔵庫のドアを閉め、

「あとしまっておいてくれる？　ビール飲んでいいよ」

　そう言って、リビングを出た。仕事部屋の子機をとりに向かう途中、目覚めたときからずっと続いていた「何もかもうまくいく感じ」が、ちらりと翳《かげ》ったのを感じる。鳴り続けている電話が、いやなことを知らせるように思える。

　仕事部屋のドアを閉め、耳にあてた子機から、麻美の声が聞こえてきたとき、だから充留はほっとした。

「なんだ、麻美か」思わず言うと、受話器の向こうで麻美はくすくす笑った。

「なんだって、なあに。ひどいわねえ」

「違うの。何か仕事でトラブったのかと思ったの。麻美でよかったたって意味」

　子機を肩と耳に挟んで充留はビールのプルトップを開ける。口をつけると、案の定あまり冷たくなかった。自分から電話をかけてきたくせに、麻美は何も言い出さず、ふふふ、とちいさく笑ったきり、黙りこんでしまう。

「それで、えーと、なんだっけ」

瞬時に感じた苛立《いらだ》ちを抑えるように、充留は笑って訊《き》いてみた。

「あのね」ちいさく言って麻美は黙り、「じつは」ようやく言ってはまた黙ってしまう。仕事場の椅子《いす》に腰かけ、充留はビールをすするように飲んで、麻美が話し出すのを待った。どうせ退屈なことなんだろうと、頭の隅で思いながら。

「離婚しようと思うの」

笑いを含んだような声で、麻美は言った。

「はあ？　あんたも離婚？」

予期していなかった言葉を聞いて、充留は大声を出した。

「あんたも、って言うけど、べつに、私は裕美子たちとは関係ないわ」

「そりゃそうだろうけど」

「あ、関係なくもないかな」

思わせぶりな口ぶりで言って、麻美は黙る。何それ、と舌の先まで出かかった言葉を、充留は飲みこむ。何それ、と身を乗り出して訊けば、麻美はもったいぶってまた黙りこむだろう。

「ふうん」わざと素っ気なく言って、麻美が話し出すのを待った。

「あのね、もしだめだったらいいんだけど」おずおずと麻美は言う。

「なあに」

「これから、会わない？　私、近くまでいくし、充留がいいなら、そこへいくわ」

「はあ？」

　こちらから誘わないかぎり出てこない麻美にしては、めずらしい提案だった。このマンションに、麻美は一度きたことがある。引っ越してきたとき、ここで宴会をやったのだ。裕美子たちは深夜まで飲んでいったが、麻美は八時過ぎにそそくさと帰っていった。

「私はいいけど……」

「じゃ、いくわ」

　麻美は即答すると、急にてきぱきとした口調になって、マンションの場所の確認をはじめた。電車の乗り換えも含め二度確認すると、

「すぐいくわ。といっても、ここからじゃ一時間はかかるかな」

　うきうきと言い、電話を切った。充留はぽかんとして子機を見つめる。それを元に戻し、椅子をくるくると回転させて、ビールを飲んだ。ここにくるならリビングを片づけておこう、そう思いたって立ち上がる。そのとき、ついさっき完璧《かんぺき》に思えた人生設計が、なんの魅力もなくなっていることに充留は気づく。

　花火だの、バーベキューだのと充留が思いつくとき、そこには必ず、かつてともにいた面々がセットになっている。裕美子と正道、麻美、宇田男や邦生が、意識せずとも思

い浮かんでいる。夏の別荘とともに充留の頭に浮かんだのは、学生のころのように彼らが集い、学生のころのように陽気に酔っぱらい、浮かれて騒ぐ姿だった。けれど、裕美子と正道はもういっしょではないのだ。離婚パーティのときのように、彼らが全員揃《そろ》うなんて、もうあり得ない。そうして、彼らが全員集まらない夏の別荘――ゲームと漫画を大量に持ちこむだろう重春と二人の別荘――なんて、充留にはなんの魅力も感じられないのだった。仕事もだ。やりたくない仕事を整理して、元来やりたかったノンフィクションを書く。今持っている人脈を使えないのだったら、新人賞に応募する――いったい、なんのために？　読み捨てられるコラムではなく、硬派なノンフィクションを書き、だれに読ませたいのか充留ははじめて気がつく。それもまた、彼らに、であるらしい。正確にいえば、読ませたい、のではなく、そういう仕事もこなせる自分を知ってもらいたい、らしい。

充留は仕事部屋を出る。リビングにいくと、漫画を読んでいた重春は起き上がり、テレビ画面と向き合ってゲームをしていた。

「今から友だちがくるけど、いい？」充留は訊く。

「いいけど」重春は画面を見つめたまま答え、ふとふりかえってまじまじと充留を見る。

「なんかあった？」

「話したいことがあるんだって」

「そうじゃなくて、元気ないから」

そう指摘され、充留は、朝から続いていた気分が、すっからかんに消えていることに気がついた。

「そんなことないよ。ちょっと片づけようかな。手伝ってくれる？」

重春はゲームをセーブして、電源を切る。立ち上がり、散らばった漫画やゲームを片づけはじめる。充留は流しに放置してある食器を洗いはじめた。

「くるの、だれ？」重春が訊く。

「麻美。知ってるよね？」水音に負けないよう充留は声をはりあげる。

「えーと、こないだ離婚した」

「それは裕美子。麻美ってのはほら、卒業してわりとすぐ結婚した」

「主婦」

「そうそう、その主婦。引っ越したときパーティやったけど、重春は部屋で寝てたから会ってないかも」

「うん、記憶にない」

昔から、充留は麻美のことがなんとなく苦手だった。嫌いというのではない、麻美の生真面目《きまじめ》さが、ときどき疎ましく感じられるのだ。その麻美と、離婚という言葉はいかにも不釣り合いに思えた。しかも離婚パーティが何か関係しているという。これからやってくる麻美の話を聞きたくもあったし、迷惑なような気もした。

せっかく大量に食材を買ってきたのだから、麻美がくる前に何か料理を作っておこうと思ったのだが、掃除をしているだけで一時間がたってしまった。掃除機をかけ終えたとき、オートロック式玄関のインターホンが鳴った。

「おれ、いてもいいの、それとも部屋にいようか」掃除機をしまいながら重春が訊き、

「いいよいいよ、いてよ。ごはんはあとでピザでもとろう」充留は言った。どうせいっしょにいても、ゲームをしているか、あるいは正道と飲んだときのように、むっつりと黙っているのだろうが、麻美と二人きりでいるよりは、ずっと気が楽だった。

小花柄のワンピースにデニムジャケットという、妙に若々しい格好であらわれた麻美は、玄関で長ったらしい挨拶《あいさつ》（突然ごめんなさいね、おみやげに何がいいかと思ったんだけど、急いでたから、これ、そこで買って……）をし、リビングで重春に向かってまた馬鹿ていねいな挨拶（はじめまして、松本麻美です、充留さんには学生時代からおつきあいさせていただいて……）をし、重春と充留がだらだらと暮らすマンションに、珍獣があらわれたような印象を充留に抱かせた。

「まあ、いいじゃない、座りなよ、ちょっと重春、ソファどいて。麻美が座れないじゃん」

「そんな、私はべつにどこでも……」

「ビールでいい？　おなかすいてる？　なんにも用意できなかったから、あとでピザでもとるね。ピザがいやだったら、お寿司《すし》とかそういうのもあるから」

言いながら台所にいくと、麻美もぴったりとくっついてきて、充留といっしょになって冷蔵庫をのぞきこんでいる。

「やだ、こんなにいろいろあるじゃない。ピザなんかとらないで、私作るわよ」

「いいって、そんなの」充留はビールを取り出し冷蔵庫を閉めようとするが、麻美はドアを押さえた手を離さない。

「お肉もあるしお魚もある。野菜は何があるの？　見てもいい？　三十分もかからないわよ」

そのまま麻美は、充留がスーパーで買いこんできた肉やら野菜やらを、どんどん出して流し台に並べていく。

「じゃ、まあ、お願いしようかな」

面倒になって充留は言った。重春はテレビの前であぐらをかき、テレビドラマの再放送を見ている。充留は所在なくリビングに立ち、カウンター越しにキッチンを見遣ると、デニムジャケットを脱いだ麻美は、早くも野菜を刻みはじめている。テレビ画面のなかでは、若い俳優と女優が町を歩きながら口喧嘩《くちげんか》をしている。

「これ、なんていう人？」条件反射のように充留は訊いた。重春は俳優の名前を言い、それから、女優の名前を言った。同じようなやりとりを半年ほど前にしたことを充留は思い出す。そうだ、何かの雑誌にこのテレビ番組のコラムを書いたのだ。俳優の名を挙げ、この人、自分で認識している容姿と実物がかけ離れすぎ、このだるそうな演技、ワタシには二日酔いのしょぼいサラリーマンにしか見えません、とかなんとか。

「なんか今の、デジャヴだったね」充留は笑ってみせたが、

「え、何それ」重春はぼそりとつぶやいただけだった。

自分が今三十四歳で、来年の二月に三十五歳になり、昨日のことのように思える学生時代が、十年以上も前のことであると、充留は本当に突然、実感した。当然そんなことは知っているが、しかし、それがどういうことであるのか、指の先まで理解できた。裕美子と正道はもういっしょではないし、宇田男は作家でもスターでもない。充留はテレビからキッチンへとゆるゆると視線を動かした。キッチンで動く麻美が、同じマンションに住んでいるのに挨拶も交わしたことのない、見知らぬ奥さんに思えた。

酒が強いのは昔からだった。酒なんか一滴も飲めないお嬢さんに見えるのに、顔色ひとつ変えず、麻美はすうすうと呼吸するように酒を飲む。自分で作った料理にはあまり箸《はし》をつけず、ビールのロング缶を三本空けた麻美は、充留が出した焼酎《しょうちゅう》に切り替え、

ストレートで飲みはじめる。

　きんぴらごぼう、大根おろしの添えられた厚焼き卵、鯛《たい》と三つ葉の和《あ》えもの、焼き肉サラダにポークピカタ。たった三十分で麻美が作った料理を、それぞれ手酌でビールを飲みながら、充留と重春はがつがつと食べた。麻美の作った料理は、充留には薄味だったがおいしかった。ちらりと重春を盗み見ると、重春も顔を上げて充留を見た。この状況がひどく奇妙であると、重春も思っているらしかった。

「それで、何か大事な話があるんでしょ」

　めずらしく充留のマンションまできながら、何も話し出さず酒ばかり飲んでいる麻美に、充留は訊いた。発した自分の声が刺々《とげとげ》しいのを察し、

「それとも、こないだの話を本気にしてごはんを作りにきてくれたってわけ？」あわてて茶化すようにつけ足した。

「なんだかうらやましいわ」焼酎のグラスをテーブルに置き、麻美は薄く笑みを浮かべてそんなことを言う。

「何がよ」

「こうして、いつも二人で、向き合ってごはん食べてるんでしょ？　昼も、夜も。お酒をいっしょに飲んで、あれこれ話して、それでいっしょにごちそうさまってするんでしょ」

充留は重春を見た。また目があったので、おどけた表情を作ってみせる。重春もそれを受けて白目をむいてみせる。

「私たち、子どもができなかったの」

ふいに麻美が言った。何か重大なことを宣告するような言い方だった。

「二年前まで、私、婦人科の治療を受けていたの。充留たちは、私のこと、のんきな奥さんみたいに言うけど、仕事をずっとしなかったのは、だからなの」

「子どもがいなくたって幸せに暮らしている人たちもいるんじゃないの？　私たちなんか、結婚もしてないよ。人それぞれでいいじゃん」

話が果てしなく暗い方向に進みそうだったので、充留はそう言ってうち切ろうとした。重春を再度盗み見ると、今度は顔を上げず、黙々と箸を動かしている。正道に会わせたときと同様、すっぽりと殻をかぶった状態になっている。

「私と夫、でも仲良しなの。私はそれを、ずっと恋愛感情だと思ってた。恋というのがおかしければ愛情。子どものことは、だからもういいと私も思ってたの。でもね、充留、私、恋愛というものをしてみて、それではじめて気づいたの。私と夫のあいだにあるのは恋愛でも愛情でもない、私たちはただ傷のなめあいをしてるんだって」

焼酎をするすると飲みながら麻美は言い、充留は早くもうんざりする。今からいってもいいかという問いに、いいよと答えたことを悔やみはじめる。こういうところが苦手なんだ。こっそり充留は思う。おもしろいのだと定義してからはじめて笑うような麻美の生真面目さ。恋だの愛だの、傷のなめあいだの、どこかで見聞きしたらしい言葉を持ってきて羅列して、それではじめて悩んでみせるような、なんというか、そう、鈍感さ。

「私、今、はじめて恋愛しているの」

麻美は、グラスに三センチほど焼酎をそそぎ、それを一口飲んでから、充留をまっすぐに見てそう言った。充留は目を逸《そ》らして立ち上がり、開いたままになっているカーテンを閉めた。おもてはすでに暗く、見おろすと、白々とした街灯が舗道を照らしていた。

「あのね、笑ったり、馬鹿にしたり、しないでね。相手は充留たちの知ってる人なの」

充留はテレビを消し、CDデッキの前にしゃがみこんで、ラックから適当に抜き出したCDをセットした。重春のラモーンズが流れ出し、あわてて充留は音量を下げる。

「知ってる人ー？　ああ、こないだのパーティにきてただれか？」

自分と同じ三十四歳の、専業主婦の「はじめての恋愛」などに興味はなく、充留は社交辞令のように訊いた。充留が席に戻るのを待って、

「宇田男」

中学生のようにうつむいて麻美はそう発音した。

「宇田男ォ？」

素《す》っ頓狂《とんきょう》な大声が出たことに充留自身がびっくりする。麻美はこくりとひとつうな

ずく。

「あの宇田男？　宇田男がなんで……」

　顔が赤くなるのがわかった。それを重春にも麻美にも見られないよう、充留はもう一度席を立ちキッチンに向かった。流しの下の棚を開け、ストックされているワインボトルを次々と手に取り、あまり高くなさそうな一本を選び、

「重春、ワインに変えるよね」何気なさを装って、カウンターから顔を突き出し重春に訊いた。

　恋愛相手の名前を明かしたあと、麻美は蛇口のこわれた水道みたいに饒舌《じょうぜつ》に、恋愛に至った経緯を話し出した。アルコールを摂取しなければ充留はとても聞けなかった。酔っているのか、それとも単に不慣れなのか、麻美は聞く側が戸惑うくらい開けっぴろげに話した。カラオケボックスでのキス、デート初日のラブホテル、宇田男のせりふ。はじめてラブホテルにいってから、定期的に会っているのだと麻美は言った。宇田男は自分を必要としているし、自分もまた同じなのだと麻美は流暢《りゅうちょう》に話した。

　充留には意味がわからなかった。麻美はどこかいかれてしまったのではないかと本気で思った。彼女が語っているのはすべて妄想なのではないか。宇田男が、あの宇田男が、麻美のような女にちょっかいを出すはずがなかった。宇田男がもっとも嫌いな女性のタイプといえば、麻美のような女に違いなかった。学生時代だって、二人が話していると

ころなんか見たこともない。自分に自信がなくて、実際自信を持てるべき何かを持ち合わせておらず、ここは笑うところなのか、ここは楽しむところなのか、ここは怒るところなのかと、つねに周囲を窺《うかが》いながら、ワンテンポずれて笑い、楽しみ、怒り、けれど本当にはなんにも感じていないような女。

麻美は、手酌で淡々とグラスを満たし、宇田男ではなく今度は夫の話をしはじめる。結婚したのはたがいに愛していたからではなくて、それぞれに打算があったのだと真顔で言う。夫は結婚することでひとり暮らしの煩雑な家事から解放されたし、私は私で実家に帰って就職先をさがさなくてもよくなった。そう話す麻美の口調は、飲む量に比べてはしっかりしていて、けれど充留には彼女が酔っているのがわかった。酒にではなく、自分の言葉に。

学生のころから麻美はなんにも変わっていない、と充留は思う。自分が何かわかるより先に演じてしまうのだ。感じるより先に何かになりきってしまうのだ。だから、彼女の口から出てくる言葉は、みんなどこかで聞いたものばかり。安っぽいドラマのようなせりふばかり。

そんな人を、あの宇田男が必要とするはずなんて、ないじゃないか。

「ねえ、じゃあ、呼んでみてよ」

麻美が言葉を切りグラスに口をつけたとき、充留は言っていた。麻美が顔を上げる。

「宇田男をここに、呼んでよ。せっかくだから、みんなで飲もうよ。プチ同窓会」

なんだかんだと言って話をはぐらかすだろうと思っていたのに、麻美は立ち上がり、鞄から携帯電話を取り出す。その場にしゃがみこんだままで、携帯電話を開け、女子高生みたいに素早い動きで文字を打ちこんでいる。重春が立ち上がり、その気配で充留は、自分が食い入るように麻美の手のなかの携帯電話を凝視していたことに気がついた。

重春は充留を見おろし、顔をゆがめて「ウヘ」と口だけ動かし、しゃがみこんでメールを打っている麻美を顎《あご》でしゃくって見せた。彼が何を言いたいのか充留にはわかる。延々続いたさっきの話を、重春もけったいだと思ったのだろう。そのまま重春はテレビの前に座りこみ、ゲームの電源を入れる。

「すぐ返事がくると思うわ」

麻美は言い、席に戻った。テーブルをぐるりと眺めまわして重春に視線を移す。

「お口に合ったらいいんだけど」

「うまかったっす。ごちそうさまでした」無愛想な高校生みたいに、重春はぼそぼそと答えた。

返事なんかくるはずがない。麻美はいかれてるんだ。子どもができなくて、ずっと家にいて、その上きっとセックスレスで、同窓会で会った宇田男に誘われたと妄想して、その妄想をふくらませているに違いない。充留はめまぐるしく考えながらワインを飲み、残り少ない料理に箸を伸ばした。麻美が飲んでいた焼酎のボトルを持ち上げるとそれはほとんど空で、充留はそれを手に台所へ向かう。

「日本酒とワインとあるけど、どっち飲む？」

麻美にこれ以上飲ませたくなかったが、自分が飲まないとやっていられず、訊く。

「じゃあ、日本酒をいただこうかな」

麻美の答えにかぶさるように、やけに重厚なメロディで麻美の携帯電話が鳴った。

「きたわ、返事」

麻美の声が遠くで聞こえた。

「残念、こられないって。もっと早くに言っておけばよかったわね。でも私も、今日突然きたんだものね。今度はちゃんと、事前に約束してくるわ、宇田男と」

麻美は立ち上がり、キッチンカウンターに寄りかかり、わざわざ充留に携帯電話を差し出す。充留は反射的にそれを受け取り、ディスプレイに目を落とした。

ちょっと今人と飲んでてぬけらんない。ガモーによろしく。ウタオ
とあった。

本当だった。麻美の妄想じゃなかった。どういう経緯でか、彼らは本当に恋愛をしているらしかった。麻美と宇田男が。あの麻美と、あの宇田男が。波打ち際に立ったみたいに、足元が揺れているような気がした。充留はディスプレイの文字をしつこく読み返

し、笑顔を作って麻美に返した。部屋に、重春のゲームの、おどろおどろしい音楽がちいさく響いている。麻美の話が全部本当だとしたら、本当に麻美は離婚するのだろうか。それで宇田男と結婚を前提に交際したりするんだろうか。絶望するようなことはなんにもないのに、絶望的な気分を充留は味わった。ガモーによろしく、ガモーによろしく、ガモーによろしく。充留はその一言にすがるように、幾度も胸の内でくりかえした。

蒲生という、文字も響きもごつい名字を充留はずっと嫌っていたのだが、宇田男がそれを発音すると、蒲生でもがもうでもなく「ガモー」に聞こえた。漫画やアニメの、馬鹿馬鹿しいながら必要不可欠なキャラクターの、愛称みたいに思えた。宇田男にガモーと呼ばれるのが充留は好きだった。二十歳のころだ。

「なんつーか、昼メロおばさん、って感じだったなあ」

汚れた皿を流しに運びながら重春が言い、充留は声を上げて笑った。

「ねえ、聞いてたでしょ、馬鹿みたいな話だよね。あの子さあ、私たちのグループにいつもいたけど、地味で、ボーイフレンドとかもいなくて、それで大学出て三年くらいしてぱっと結婚しちゃったの。なんかさっきの話聞いてたら、空白の学生時代を今必死になって取り返してるんだなって思ったよ」

「あるある、そういうの。高校デビューとか社会人デビューとかいうじゃん。それだろ？　専業主婦デビュー」

「そうそう、それそれ」

　多くを説明しなくとも、重春が自分の言いたいことの意味をわかってくれているのが充留はうれしかった。いつもはたいてい、そこにいるだけで苛立ちの原因になる重春が、今日はいてくれるだけで救われた。実際、重春がいなかったら、自分はどうしていただろうと充留は考える。宇田男と恋愛をしているのだという麻美の告白を聞いたあとで。

「すごかったよね。はじめてのおつかいじゃあるまいし、何がはじめての恋愛かよって感じだよね。だいたい十年も結婚してて、あの結婚は打算だったとか言われてもねえ」

「はじめての恋の相手、知ってるの？」

　水音に混じって重春の声が聞こえる。

「知ってるよ」充留は、できるだけさりげなく言った。「同級生だから」

「そいつもあんなタイプなの？　地味で素人童貞のまま学生時代送っておっさんになったような？　似たもの同士で学生ごっこやってんのかな」

「違うよ、宇田男はぜんっぜん違う。宇田男は……」自分の声が熱を帯びていることに気づき、充留は言葉を切った。宇田男が麻美の男版だなんて冗談じゃない。けれど説明すれば、よけいなことまで言ってしまいそうだったし、それに説明しても、宇田男がどんなだったか重春にはわからないだろうと思った。

「お風呂《ふろ》入ってくる」

充留は席を立った。おす、と重春は顔を上げずに言った。

宇田男は、それこそ充留にとって、はじめて本気で恋をした相手だった。高校時代や大学一年時にも男の子と交際したことはあった。けれど宇田男が自分の前にあらわれてからは、「恋をする」ということと「恋をしている気分になる」ということが、まったく違うことであると充留は知ったのである。恋をする、ということは、指に刺さったとげがいつまでも抜けないようなことに似ていた。ひりひりとしびれ、じりじりと苛立ち、異物感がつねにあり、何かに軽く触れても飛び上がるほど痛かった。ほかの男の子との交際中に感じたような、どきどきしたりわくわくしたりする気分は、そこにはまるでなかった。

学生時代の自分がどんなだったのか、充留にはまるでわからない。思い出せるのは自分から見えた他人や世界ばかりで、自分自身というものは見えてこない。

卒業するまで充留は宇田男に恋をし続けた。宇田男と寝るのはかんたんだった。けれど宇田男とのあいだに関係を作るのは難しかった。ドイツ語よりキルケゴールより難しかった。あのころの自分自身が見えてこないのは、たぶん、宇田男から見た自分というものがあまりにも像を成さないからじゃないかと充留は考える。像どころではない、宇田男から蒲生充留という人間は見えなかったんじゃないかと思うくらいだ。

大学を卒業するころには、充留には恋人ができた。宇田男のことが好きすぎるあまりつきあった相手だった。三年の交際のあと、相手にふられても充留はちっともかなしくなかった。半年もせずにべつの恋人ができた。その人とつきあったのもやっぱり、宇田男のことが好きだったからだった。学生時代の集まりに宇田男が姿を見せなくなって、そのうち噂《うわさ》も聞かなくなって、それでようやく充留は宇田男のことを忘れられた。重春とつきあうころには宇田男の存在など思い出さなかったし、いっしょに暮らしはじめるころには名前さえも思い出すことがなくなっていた。

けれどあの日、裕美子と正道が催した馬鹿げたパーティで、まるでひとりだけ年をとらずにあらわれたような宇田男を見たとき、充留は気がついたのだった。忘れるということと嫌うということは違う、忘れていたならば人はいつか思い出す。充留は実際思い出したのだ、宇田男を好きだったころを、ではなくて、宇田男を好きだという気持ちを。

もちろんどうこうしようとは充留は考えなかった。学生時代と三十代の今と、何か違いがあるとするなら、現実を知っていることだった。宇田男と関係を作るのは現実的に無理だと、二十歳のときには気づかなかったことを、三十四歳の充留は瞬時に理解した。パーティにいた宇田男に、あいかわらず自分の姿は見えていないことが充留にはよくわかった。だから、宇田男と退屈な挨拶をして近況を言い合い、笑って別れて重春と暮らすこのマンションに帰ってきた。それが自分の現実だった。

宇田男から私は見えなかったのに麻美は見えた。私は踊り場でキスをされなかったのに麻美はされた。私は後日電話をもらわなかったのに麻美はもらった。いったいなぜなのか。離婚したばかりの裕美子だったらまだわかる。もしくは、あのパーティにきていたさくらや江上やノンちゃん、学生時代からそれぞれ個性的で華やかで、そのまま成長した彼女たちならまだわかる。なぜよりによって、地味でつまらない学生から昼メロおばさんに成長した麻美だったのか。

そこまで考えて、充留は苦笑する。私はいったい何に嫉妬《しっと》しているんだ？　なんだか過去に嫉妬しているみたい。過去に手に入らなかったものを、ほかのだれかが手に入れたからって、今は欲しくもなんともないのに、地団駄踏んで欲しがるふりをしているみたい。充留は、排水口に向かって流れていく石鹸《せっけん》の泡をじっと見つめる。風呂場に窓があったらいいのにな、と、なぜかそんなことを思った。

「重春ってさあ、どんな学生だったの」

シャワーを浴びてベッドにもぐりこんだ重春に、充留は訊いた。

「どんなって」

明かりを消して重春は訊き返す。

「だからさあ、サークルとか、学部とか、友だちとか、あるじゃん。学生生活っていうか」

暗闇《くらやみ》に充留は声を放《はな》った。充留が重春と出会ったのは三年前で、たしか一年留年した重春は大学を出たばかりだった。新宿で女性編集者と飲んでいたとき、隣の席で三人連れの男の子が飲んでいた。酔っぱらって充留たちがいっしょに飲もうと誘った。重春はいちばん迷惑そうだったくせに、飲み屋を二軒はしごしてカラオケにいき、空が白色に染まりはじめるころ、充留にくっついて部屋まできた。

出会う以前の重春のことを、充留はほとんど知らない。実家が東京にあって、妹と弟がひとりずついて、両親が健在で、初体験が十五歳で、出身大学はどこか、知っているのはそれくらいだ。重春が自分の話をしたがらないせいもあるし、充留が訊かなかったからでもある。充留は、出会う以前の重春にあまり興味がもてなかった。

しかし麻美が帰ってから、ふと気になった。重春にも、自分たちと似たような時間があったのだろうか。だれかを好きだの嫌いだので大騒ぎしたり、たいして大事でもないものを大事だと思いこんだり、自分たちが世界の中心だと勘違いしたことが、重春にもあったのだろうか。

「べつに、ふつう。あんまりガッコいかなかったから、留年した。サークルとかも入ってないし、バイトよくしてた」

「なんのバイト？」

「いろいろ。居酒屋とか、道路工事とか、交通整理とか」

「なんだかつまんなそうな学生時代だね」思ったままを言うと、

「いや、マジつまんなかった」重春は言って充留に背を向けた。もう眠るから返事はしない、という合図らしい。充留も眠るため目を閉じると、

「だからおれ、あんたたちみたいな、なんつーの、こだわりみたいの、わかんないね」

背を向けたまま重春がもそもそと言う。

「え、何それ、こだわりって何」充留は目を開け上半身を起こして訊いた。

「だから、なんていうの、愛校精神じゃないけど、なんかそういうの」

「愛校精神なんてないじゃん」

重春は何も言わない。いよいよ眠る態勢に入ったらしい。充留は重春を揺すった。重春が何を言っているのか理解したかった。

「ねえ、愛校精神なんてないよ。何を言ってるのかわかんないよ」

「だから、そうじゃないけど、そういうのだよ、うまく言えないよ。でも、なんか、あんたもあんたの友だちも、なんかどっか、体の一部そこから出ていかないようなとこ、あんじゃん。そういうのがおれは全然ないってこと。戻りたくもないし、だいたいガッコいるときから、卒業してえってそればっかだったから」

充留はそれを聞いて、もう一度横たわった。天井を見上げる。「なるほどね」とつぶ

やいてみた。背を向けた重春から返答はなく、しばらくして、寝息が聞こえてきた。

学生時代に戻りたいわけでもないし縛られているわけでもない。もう一度重春を揺り起こしそう言いたかったが、しかし一方で、重春が何を言っているのかも充留にはよくわかった。自分が持っていて重春が持っていないものが何かも、わかった気がした。自分ががんばるようになぜ重春ががんばれないのかは、それに関係しているようにも思えた。もちろんそんなことは言わず、充留も重春に背を向けて目を閉じた。もし神さまがあらわれて、もう一度二十歳にしてやると言ったら、私は喜んでそれを受け入れるのだろうか。また同じように宇田男に恋をするのだろうか。重春のようにすとんと寝入ることができず、目を閉じたまま充留は、しばらくそんなことを考えていた。

# 十月の憂鬱

正道と別れたことは、思ったほどダメージにはならなかった。もっとひどいことになるだろうと裕美子は思っていた。外出といえば職場と家を往復するだけの、なかば引きこもり状態になるだろうと。

そんなことはなかった。

まず部屋から、自分の趣味ではないものが消えた。黒い塊のような古いステレオセットがなくなると、リビングはすっきりし、広々と感じられた。膨大な数のＣＤと、毎週持ちこまれる漫画雑誌がなくなると、つねにあちこちに散らばっていたそれらを拾い集めなくてもよくなった。上京時に持ってきて、なぜか後生大事に正道がずっと持ち続けていたへんな柄のアクリル毛布も、さびの出はじめた中華鍋《ちゅうかなべ》もなくなった。クロゼットは倍使えるようになった。冷蔵庫から、たくあんも塩辛も消えた。

正道が出ていったあと、毎週末を裕美子は買いものに費やした。カーテンを買い、ソファを買い、タオル類を買い、スリッパを買い、ベッドカバーを買った。買うごとにうきうきした。

古いものを捨て、新しいものをとりつけると、部屋からはどんどん正道の気配が消え、自分らしくなっていった。模様替えのすんだ部屋を見まわすと心が安らいだ。自分から正道を引いても、ちゃんと残るものがあるのだと思えた。

買うべきものが見あたらなくなると、裕美子は合コンに夢中になった。

裕美子は母親の知人の経営する輸入雑貨店で働いている。社員は裕美子を含め五人、アルバイトは三人いる。みな女性だ。アルバイトは二十代の子が多く、彼女たちに頼むとだれかしらが合コンを企画してくれた。二十代の子に交じって、三十も半ばになろうという自分が合コンにいって浮かないだろうかと裕美子は心配していたが、「裕美子さんぜんぜん若いですよ」という彼女たちの言葉を鵜呑《うの》みにして出かけていった。事実、心配は杞憂《きゆう》だった。裕美子は、二十代の子よりも自分のほうが男に人気があると、最初の合コンで知った。それはたぶん、余裕のせいだと裕美子は思った。二十代の子たちは、恋人を見つけるつもりじゃないと口では言いながら、なぜか余裕がない。余裕がないから人の話を聞かないし、自分のことばかりを話すし、すぐに大声を上げるし、派手な反応をする。不思議な結束力があり、たがいを牽制《けんせい》し合っているから、個人というより隙《すき》のない団体のようになる。男たちは、いくらだれかに興味を持っても、団体の壁を崩せない。

そういう場の雰囲気を感じ取る余裕が裕美子にはあった。何人かの男は、裕美子からメールアドレスを訊《き》き出し、その日のうちに連絡をよこした。

合コンはいくらでもあった。アルバイトの子が企画しなくても、合コンで知り合っただれかが誘ってくれることもあったし、学生時代の友人が声をかけてくれることもあった。もちろん、毎回男たちがメールアドレスを訊いてくるわけではなかった。まったく興味を持たれていないと感じるときもあれば、何度も時間を確認するほど退屈な合コンもあった。しかし裕美子は誘われればどこへでも出向いていった。楽しかったのだ、知らない男たちと酒を飲むことが。

世のなかにこんなものがあったとは。と、裕美子は浦島太郎みたいな気分で思った。裕美子が正道とくっついたり別れたりをくりかえしているあいだ、世のなかの女たちはこんなに楽しい思いをしていたなんて。

男たちはワインを選んでくれる。料理を取り分けてくれる。煙草《タバコ》がないと言えば、買いに走ってくれる。しかも会計は割り勘ではなく、必ず女性のほうが安い。タダのときもある。女というだけでなんだか優遇されている。そうして彼らは親切だった。だれも裕美子の言葉の揚げ足を取り、「それってどうかと思う」などとは言ったりしなかった。

五月から十月までのあいだに、合コンで会った男と三回デートをした。これもまた、裕美子には未知の世界だった。

一度目は三十一歳の、コンピュータ会社に勤めている男だった。彼はなんと裕美子の住まいの最寄り駅まで車で迎えにきた。わざわざ降りてきて、裕美子のために車のドアを開けた。

二度目は二十九歳の、編集プロダクションで働く男だった。新宿で映画を見て、お茶を飲み、CD店やデパートを見て歩き、食事をし、バーで飲んだ。驚くべきことに、裕美子はその日一度も財布を出さなかった。

三度目は二十五歳のアルバイト青年だった。なぜ十歳も年下の子が自分を誘うのかわからなかったが、週末にひとりで家にいたくなかったので、誘われるまま出向いた。彼が裕美子を連れていったのはディズニーランドだった。ディズニーランドにきたのははじめてだと裕美子が言うと、彼は異星人を見るように裕美子を見た。くだらない場所だろうと思っていた。子どもとオタクとバカップルしかいないレジャー施設だろうと裕美子は思っていた。大間違いだった。こんなに楽しい場所が世のなかにあるのかと、またしても裕美子は驚かなければならなかった。

今までずっと、陽《ひ》のささない工場に閉じこめられて、くる日もくる日もちいさな部品を組み立てていたような気になった。背を丸め、何に使うのかわからない部品を組み立てているあいだ、戦争は終わり経済は上向きになり、高層ビルが建ち高速道路が走り、昭和が終わって平成になっていた、そんな感じだった。

「私は不当に青春を搾取されていたのよ」

充留に電話をかけ、裕美子はまじめにそう言ったりもした。充留は呆《あき》れたように笑った。

「澤ノ井といたときのあんたは、充分に青春を謳歌《おうか》していたように見えるけど」

工場で部品を作る毎日を、青春と呼ぶなら呼べないこともないよな。裕美子は思ったが、口には出さなかった。

すっかり忘れていた正道のことを、ちらちらと思い出すようになった。未練ではなく、哀れみを持って。

正道は車も持っていないばかりか運転免許すら持っていない。洒落《しやれ》たレストランも知らないし、女の子の飲食代を払ってやるなんて考えたこともないに違いない。ディズニーランドを馬鹿《ばか》げた場所だと思っているし、ではほかにどんなデートコースを知っているかといえば、ほとんど何も知らないはずだ。十八歳から十五年、待ち合わせして飲みにいく、というのが自分たちのデートだった。そういうことしか知らないのだ。今はいい。今は野村遥香がいるのだから。しかし若い彼女は、いつかそんな男に嫌気がさすだろう。うっとりするようなデートなど企画してくれないばかりか、何が成功で何が失敗なんだとか、そんな馬鹿げたことでいつまでも突っかかってくる。早晩、正道は若い彼女にふられるんじゃないか。そうしたら、次に恋人なんかできないんじゃないだろうか。ずっとひとりぼっちなんじゃないだろうか。裕美子はそんなふうに考えるのだった。

どのデートも、交際には至らなかった。デートはデートで楽しかったが、三十一歳と、もしくは二十五歳と、どのように交際するのか、裕美子には考えが浮かばなかったのである。二十九歳はバーのあとで、自分の部屋に寄らないかと誘ったし、二十五歳は裕美子の部屋にいきたいと言った。しかし裕美子は、想像できなかった。見知らぬ男性の部屋にいったり、見知らぬ青年を部屋に入れたりすることを。彼らは無理強いしなかった。スマートな笑顔で裕美子を駅まで送った。彼らの紳士的な態度に感謝しつつも、自分が工場にこもっているあいだに、日本男児の男性ホルモンが著しく低下したのではないかと裕美子は不安になった。正道は、好きになるとすぐに寝る男だった。寝るとすぐに好きになるのかもしれなかったが。

三人とも、次のデートはいつにするかと裕美子に連絡をしてきた。裕美子が答えをはぐらかしていると、一カ月ほどでそれぞれ連絡が途絶えた。

次のデートも楽しいだろうと裕美子は思ったのだが、しかし、次の次にはまた次があるはずで、次の次の次の次のデートのあとに、彼らとともにいる自分がどうしても思い描けなかった。つまり、関係を作るということがどういうことなのか、裕美子にはわからなかったのだ。

だから今現在、裕美子には恋人がいない。合コンの誘いはあいかわらずある。あいかわらず楽しい。裕美子はたんねんに化粧をして出かけていって、男にちやほやされたあと、上機嫌で好きなもので埋め尽くされた部屋に帰ってきて、化粧を落とし、ゆっくりと風呂《ふろ》に入り、ひとりには広すぎるダブルベッドで、大の字になって眠る。

料理を作るのは久しぶりだった。メモを読み上げながら裕美子はカートを押して歩く。急に寒くなってきたから、鍋もいいかと思ったが、もっと何か、手のこんだものを作りたかった。スペアリブのパックに手をのばしかけ、裕美子はふと動きを止めた。横から、立ち止まった裕美子を押しのけるようにして若い女が豚バラ肉をつかんでいく。裕美子はそれでもその場に立ち尽くし、スペアリブのパックを見つめていた。たじろぐような色濃さで、正道との暮らしを思い出したのだった。よくこうしてスーパーにきた。選ぶのは二人ぶんの食料だった。鮭《さけ》やたらなら二切れ入りのもの、合い挽《あび》き肉《にく》なら四百グラム、牛肉は小パックではなく中パック、飲みものは大きなペットボトル、お米は五キロ。わくわくと買いものをしていることもあれば、面倒くささに内心舌打ちしながら買いものをしていたこともあった。レジに続く長い列はいつも裕美子をいらいらさせた。重い荷物のあるときは、買いものを自分ひとりに押しつける正道を憎んだ。嫌味も言った。喧嘩《けんか》にもなった。そんなことで。米が重いなんてそんなことで。

正道と暮らしているとき、それについて何か思ったことはなかった。幸せだとかあるいは幸せではないとか、考えたこともなかった。ちいさなことの積み重ねばかりだった。洗濯ものはたまっていないかとか、外食が続いたから今日は料理をしようとか、ペットボトルと米はいっしょに買うべきではないとか、正道の帰りが遅いとか、そんなことの積み重ねで、何かを作っている、形成しているという気がしなかった。

しかし、豚肉コーナーの前で、裕美子は思い知らされる。私たちは確実に私たちの暮らしというものを作っていたのだと。そうして今、それは完璧《かんぺき》に失われてしまった。

「すみません、ちょっと、いい？」

上品そうな老婦人に言われ、裕美子はあわててその場をどいた。彼女が去ってから、おそるおそるスペアリブを手にし、カートに入れる。

正道と別れてから、ほとんど外食で、スーパーにはこなかった。買いものはほとんどコンビニエンスストアですませていた。ひとりぶんの買いものなんて、コンビニエンスストアで実際すんでしまうのだ。無意識に避けていたのだと思う。一切れの魚でなくつい二切れに手をのばしてしまうことを。二キロで足りるのに五キロの米を買ってしまうことを。そうしてはたと、失ったものに気づいてしまうことを。

裕美子は軽く首をふり、いきおいよくカートを押す。あとは卵。それからベーコン。パスタとホールトマト。メモを凝視し、ちいさく声に出して読み上げる。

帰ったらまずスペアリブのソースを作ること。肉を漬けこんでから、パスタソースを作っておくこと。それから、茄子《なす》を切ってトマトを切って。ほかのことが入りこまないよう、裕美子は懸命に考える。そうしないと、今ごろになって突如出現した空洞に、飲みこまれてしまいそうだったから。

入ってくるなり充留は、テーブルの上の料理には目もくれず、部屋のなかを眺めまわしている。リビングを眺め終わると廊下に向かう。寝室や風呂場までのぞいているのが、音でわかる。

「違う部屋みたい」

リビングに戻ってきて充留は言った。

「違う部屋にしたんだよ。だってせっかくひとりなんだし」

「裕美子って意外と少女趣味なんだね」

「これ、すぐ持っていくから座っててよ。ビールにする？　それともシャンパン開ける？」

「じゃあ、ビールで」

充留はようやくダイニングテーブルに着く。正道が座っていた席に。

サラダとビールグラスを持って、裕美子は充留の向かいに座る。二人でグラスを重ね合わせ、ビールを飲み干す。部屋はしんと静まり返っている。

「ソファも新しくしたんだ。裕美子はいいよなあ。欲しいときに欲しいものがばんばん買えて」

「あはは、働かないのにって？」裕美子は笑って見せた。

「そんなこと言ってないよ。裕美子はちゃんと仕事してるじゃん。でもお嬢はお嬢だよね。おいしそう、いただきます」

充留は言って、かぼちゃのスープを飲みはじめる。オーブンが調理時間の終了を告げ、裕美子は台所に向かった。

裕美子は自らすすんで就職をしたことがない。輸入雑貨店の前は、カルチャーセンターや教室に通って暮らしていた。イラストを描《か》いてみたり、スペイン語を習ったり、俳句をやってみたり、近代文学を学んでみたり、ワインについて勉強したりしていた。ほとんどが長続きせず、長続きしないから何ものにもならなかった。母親の知り合いが輸入雑貨の店をはじめたので、手伝わせてもらっている。雑貨店で得る収入は、この部屋の一カ月の家賃とほぼ同額である。生活費は毎月実家からふりこまれている。学生のころからそうだった。裕美子の父親は、厚木《あつぎ》でラブホテル数軒とガソリンスタンド数軒を経営している。最近焼き肉屋もはじめたらしい。思春期のころは、父がラブホテルの経営者であるのを隠すのに必死だった。しかしそのホテルのおかげで、子どものころから経済的に不自由したことがない。親にお金を出してもらうことが、すでに当然になっている。

三十代になっても親が生活費を出すことについて、正道は何も言わなかった。正道は、たとえば無職がどうだとか、お金の出所がどうだとか、そういうふうに人を分類しない。充留を成功した女と言わないかわりに、宇田男をだめ男だと断じることもない。人はあるがままにただあるのみ。それが正道の考え方だ。

正道といっしょにいたときは、だから、裕美子は劣等感を感じることがなかった。何も続かないことにも、働かないことにも、親に生活費を出してもらうことにも。しかし充留と二人きりで向かい合うと、とたんに裕美子は自分のことが恥ずかしくなる。家族カードで四十二万円のソファを買うことや、雑貨店でアルバイトと変わらない売り子をしていることが。

「わー、いいにおい。何が出てくるの？」

充留の声に我に返り、裕美子はスペアリブを皿に移す。じゃが芋を添えクレソンを飾り、テーブルに運ぶと充留が歓声を上げた。

「あとでパスタも作るからね」

「えっ、パスタ」

充留が顔を引きつらせ、そういえば、充留の若き恋人はパスタしか作れないのだと思い出す。

「じゃ、トマトソースのドリアにしようか」

「ドリア！　ドリア食べたい」充留は子どものように声を上げた。

「今日、二人でくるんだと思ってた」

席に戻って裕美子は言う。あのぶすりとした恋人でも、いてくれたほうがまだいいような気がした。ほとんど仕事をしていないらしい彼がいれば、自分の劣等感もさほど刺激されないのに、と思うのである。そんなこと、学生のころには考えなかったなと、ちらりと裕美子は思う。充留と二人で酒を飲むのがなんとなくいやだなんて、思ったこともなかった。

「ああ、ちょっと、あんまり聞かれたくない話があったもんだから」

「何、聞かれたくない話って」

裕美子は身を乗り出して訊いた。しかし充留は本題に入らず、

「裕美子はどうよ、最近。まだ合コンクイーンなの？」

話をはぐらかすように訊いてくる。

「そうよ。合コンクイーンよ。搾取された青春を取り戻してるの。こないだはね、なんと俳優の卵って人たちと合コンしたよ。みんな俳優の事務所に属してるんだって。エキストラみたいなのしか仕事はないらしいんだけど、でもたしかに、顔が総じてよかっ

た」

「俳優の卵なんて、つきあったらたいへんそうじゃん」

「いいのよ、つきあわないんだから」

「つきあわないの？」

充留がまじめな顔で訊き、裕美子は一瞬言葉に詰まる。デートをくりかえしたその先に、互いの住まいを行き来するような関係を築くということが、なんだかできそうにないのだと、打ち明けたくなる。しかし裕美子はうなずくにとどめた。

「つきあわないで、どうするの」

「どうするって、合コンをただ続けるの」

「なんの目的もなく？」

「うん。誘われれば、デートとかもするけど」

「でもつきあわないわけ？」

「今のところは」

「合コンのみ。デートのみ。それを続けてくの？」

充留の追及はきびしい。なんだか年々きびしくなっていくような気がする。

「あのね充留。私ね、なんにも知らなかったの。この世にディズニーランドがあることも、男の子が荷物持ってくれることも、なんにも知らなかったんだよ。少しくらい、そういうのを味わったっていいじゃない。つきあうことになったら、またどうせ、朝はパンかごはんかだの、皿を割ったの割らないのと言い合いになったりするだけでしょ。そんなのは当分関《かか》わりたくないわけ。いい思いだけしてたいんだわ」

充留は裕美子を見つめたままぱちぱちとまばたきをし、

「ま、二年が限度だね。三十八歳の女に合コンの誘いはないだろうし」

スペアリブにかじりつきながら言った。

「二年でいいから上澄みのきれいなとこだけすくうのよ」

裕美子はにっと笑ってみせた。笑ってみせてから、すっとこわくなった。合コンと一度きりのデートのくりかえしは、何も作りあげないだろうとわかったからだ。それは自分を傷つけないかわり、どこにも連れていかない。三十一歳の男の顔を、たしかに裕美子は思い出せない。

「搾取された青春を取り戻すブームなのかね」

スペアリブの骨をころんと皿に置き、両手をティッシュで拭《ぬぐ》い、ぽつりと充留が言う。何それ、と裕美子が訊くと、充留は裕美子を見ずに淡々と話し出した。

「私びっくりしちゃったんだけどさあ、あんたの離婚パーティのあとで、カラオケいったじゃん。そこで麻美は宇田男にキスされたらしいんだよ。それで終わりかと思いきや、連絡取り合って、デートして、今はつきあってるって言うんだよ、麻美。ちょっとこれ、もらうね」充留はテーブルに置いてあった赤ワインのボトルを手にし、コルクを開ける。ビールを飲み干したグラスにそのままどぼどぼとそそぎ、半分ほど飲んでしまう。「麻美ってさあ、地味だったでしょ、学生のとき。今ごろになって、はじめての恋だとか言うわけさ。もう、なんつうか、メロメロ。宇田男がどういうつもりか知らないけど、麻美はもう完全に、二十代の気分になっちゃってんの。あれこそ、失われた青春をがつっと取り戻してますって感じ」グラスに残った赤ワインを飲み干し、充留は手酌でつぎ足す。

この話がメインらしい、と裕美子は思う。この話をしたくて充留は今日ここにきたのだ。若い恋人を連れてこなかったのは、だからだ。

ティッシュでは完全に拭い去れなかった肉の脂が、充留のグラスにべたべたとついている。充留は話しながら、それを落とすためグラスを指でごしごしとこすっている。脂は消えず、グラス全体に広がってしまう。裕美子は立ち上がり、台所からワイングラスを持ってきて充留の前に置いた。

「でも、なんで麻美だったのかなあ」

裕美子がワイングラスにそそぐ液体をのぞきこんで、ぽつりと充留が言う。

「お似合いじゃん、麻美と宇田男」

そう言う自分の声に苛立《いらだ》ちが含まれていることに裕美子は気づく。充留は顔を上げる。

「どこがよー、あの宇田男と、あの麻美だよ」

「いかにもじゃないの。今の自分は仮の姿で、本当はもっと違うんだって信じてるような二人。だからくっついたわけでしょ」

耳に届く声はどんどん冷ややかになる。

宇田男と麻美が交際をはじめた、というのは、わざわざひとりで伝えにくるほどのニュースではないように裕美子には思えた。「あの宇田男と、あの麻美」と、充留とはまったく違う意味合いで裕美子は思う。家に閉じこもって夫の帰りを待つだけの麻美が、ちょっとした刺激を求めても不思議はないし、かといって、おとなしい麻美が知らない男とつきあえるはずがない。宇田男は宇田男で、麻美を誘うのはかんたんだったろうし、しかもいっしょにいれば麻美は過去の話しかしないだろう。宇田男がどんなにすごかったか、どんなにかっこよかったか、自分がどんなに尊敬していたかを、麻美は素直に語り、そうして宇田男はその自分像が失われていないことに安心しうっとりする、というわけだ。

裕美子にとって、宇田男は過去に埋没した男だった。宇田男にはたしかに才能があったんだろうと裕美子は思う（こう言うと、必ず「才能って何？」と正道に問いただされたものだった）。宇田男が自分たちのグループにいると、なんだか自分まで特別な存在になったような高揚感があったことは認める。でもそんなの、学生のころの話だ。十五年以上も昔の話なのだ。宇田男はたった二、三年で才能を使い果たしてしまった。宇田男の才能なんて、その程度のものでしかなかったのだ。大学を卒業したのち、世間で宇田男の名前などほとんど聞かなくなった。仲間内でも同様だ。ネパールを放浪しているとか、大阪でホームレスになったとか、思い出したようにそんな噂《うわさ》が流れたが、なんにしても、陳腐なことをしていると裕美子には感じられた。そうしていれば人がおもしろがると宇田男は思っているに違いない。ネパール放浪も大阪も、宇田男がポーズをとるために必要な舞台にしか思えなかった。なんでもない男。いや、それ以下。かっこわるい男。それが裕美子の、宇田男に対する感想だった。

学生時代の充留が宇田男を好きだったのは知っている。それも無理はないと裕美子は思う。あのころは、充留だけではなくだれもが――正道でつまずいている自分以外のだれもが――宇田男に憧《あこが》れていたし、親しくなりたいと願っていた。

けれどそんなのは、昔の話だ。どこにも属さずだれの助けも借りず、充留はひとりで仕事をこなし、本まで出版した。裕美子の母親は、会ったことのない娘の元クラスメイトが雑誌や新聞にのるたび、裕美子に電話をかけてくる。母と娘は自分たちのことのように充留の活躍を喜び合う。充留の才能は宇田男なんかとは比べものにならない、数年で消えてしまうようなものではないし、何より充留には、ほかの人にはない力がある。どんな荒れ地も突き進んでいくような力がある。裕美子はそう思っている。

その充留が、いつまでも宇田男に拘泥している理由が裕美子にはわからない。充留がつきあってきた男をずっと見てきたが、だれもが宇田男よりは上等な人間だった。パスタばかり作っている現在の恋人もまた。

「ちょっと裕美子、宇田男と麻美はぜんぜん違うじゃん。対極くらい違うよ。麻美が自分を仮の姿だって言うのはわかるけど、宇田男はそうじゃないよ」

充留はむきになって言い募る。ふと裕美子は、もっと強い言葉で宇田男を貶《おとし》めたい衝動に駆られる。そうして充留の目を醒《さ》ましてやりたいと思う。

「おんなじだよ。だって今宇田男は何をしてるの？　なんにもしてないじゃん。定職も持ってないんだよ。あれはさ、若いころに何かやったっていうプライドがあって、そのプライドがサラリーマンになったりするのを許さないんだよ。なんにもしないまま四十歳になっちゃうよ。おおかた、宇田男はお金がなくて麻美に近づいたのかもしれないよ。麻美はぽうっとなったまま、言われるままお金を貸したりしてるんじゃないの」

さすがに言い過ぎたかと思い裕美子は口を閉ざした。立ち上がり、台所にいって煙草をさがす。くしゃくしゃになった空箱が、流し台に落ちている。

「そっか、お金か。それはあり得るかも」

宇田男はそんな男じゃないと怒るかと思ったが、充留は宙を見つめそんなことをつぶやいている。

「それならなんだか納得がいくよ、宇田男が麻美なんかに近づいた理由が」

台所から戻ってきた裕美子を見据え、充留は笑顔でそんなことを言う。

ああそうか、と裕美子は思う。充留は、なぜ自分ではなかったのかと思っているらしい。宇田男がキスをしたのがなぜ自分ではなく麻美だったのかと。自分にはなくて麻美にはある魅力はなんだろうとずっと考えていたらしい。にきびのある女学生みたいに。お金なら、専業主婦の麻美より、自分のほうが持っていると充留は気づかないらしい。麻美と宇田男のあいだに、恋愛感情なんかないと納得したいらしい。自分が得ることの叶《かな》わないものを、麻美がやすやすと手に入れたとは思いたくないらしい。

裕美子は思い出す。学生のころ、顔を合わせば恋愛の話ばかりしていた。正道に好きな人ができたとか、ヨリを戻すことにしたとか、生真面目《きまじめ》な小学生の朝顔観察日記みたいに、裕美子は充留に報告したたし、充留もまた、そうだった。大教室の隅っこで、学生食堂の陽のあたる席で、学生街の安い居酒屋で、どちらかの下宿先で、あるいは電話のコードを指に巻きつけて。

私は宇田男に認められない、と言って二十歳の充留は泣いていた。何をしたって宇田男は私を見てくれない、私は宇田男の視界に入ることすらできないんだ、と言って泣いた。

あのとき自分はなんと言って充留をなぐさめたんだろうと裕美子は考える。思い出せない。今、宇田男があなたを選ばなかったのはコンプレックスを刺激されるからだよ、と言っても、充留をなぐさめることはできないだろう。充留のなかでは、いつまでも宇田男は輝かしく、いつまでも自分は宇田男の興味をひけない、つまらない女の子なのだ。いくら言葉を尽くしても、それはひっくり返らない。

「煙草買いにいってきていい？」裕美子が言うと、

「私もいっしょにいく」充留はぱっと席を立った。

休日の夜はしんとしている。昼間はずいぶんあたたかかったのに、しんしんと寒かった。車道に沿って植えられた銀杏《いちょう》は葉先を黄色く染めはじめている。

「裕美子、煙草吸ってたっけ」

充留の吐く息が白い。

「ときどき吸ってたの。澤ノ井が禁煙はじめたときにいっしょにやめたんだけど、いなくなってくれたから、今は堂々と吸える」

正道の荷物が運び出されて、裕美子がまずしたことは、煙草を買いにいくことだった。充留と歩いているこの道を走ってコンビニエンスストアまでいった。ライターと煙草を買って、また走って戻り、そうして、家財道具はあるがぽっかりとがらんどうのように見える部屋で、煙草に火をつけたのだった。久しぶりに吸う煙草は、苦くてまずかった。それでも根元まで吸った。灰皿は始末してしまっていたので、ゴミ箱から空き缶をさがして灰を捨てた。部屋はみるみるうちに煙草くさくなった。ざまあみろ、と裕美子はつぶやいた。何に対してかわからないまま、そう声に出した。

「裕美子はさあ、澤ノ井のことを思い出したりしないの」

胸の前で腕を組み背を丸めた充留が訊く。

「そりゃ思い出すよ。こう言ったらこう言い返されてこういう喧嘩になるな、とか」

「いいことは思い出さないの」

「だって私たち、美化するような過去がないんだよ。とことんまでだめになったから、そこが現在なわけだから、いい思い出があってもそこで終わらずに、ちゃんと現在時点まで思い浮かぶっていうか」

コンビニエンスストアの白い明かりが見えてくる。しっかりと腕を組んだカップルとすれ違う。

「充留も宇田男のことが気にかかるなら、もいっぺん会ってみたら。過去じゃなくて現在を見てみたら」

「澤ノ井と飲んだよ」

充留は話題をかえるように言った。

「へえ、元気だった？」

「気になる？」充留は裕美子をのぞきこむ。

「へんな言い方すんな。社交辞令だよ」裕美子は笑いながら充留に体当たりした。軽くぶつかっただけなのに、酔っているのか充留はかんたんに手をついて転び、四《よ》つん這《ば》いのまま立ち上がらずに大声で笑っている。

「ああ、いやんなる、酔っぱらい」

裕美子は充留の腕を引いて立ち上がらせる。

「今の女が、和食ばっか作るんだって」

充留はなおも笑いながら言った。裕美子を見、「そんで脂っこいものばくばく食ってたよ」そうつけ加えると、コンビニエンスストアの明かりに向かって走り出した。

「ちょっと待ってよ、なんで走るかなあ」

裕美子も走り出す。

さようでございますか。裕美子は充留を追いかけながら心のなかで声を出す。よかったじゃないの、ひとりぼっちじゃなくて。まだふられていなくて。和食が食べられて。

そうして、正道とどこかの女が作りはじめているらしい暮らしの断片を、たとえば二切れの銀だらのパックや物干しにずらりと並んだ靴下なんかを、遠いものを見るように裕美子は思い浮かべた。

# 十二月の焦燥

六月に失踪《しっそう》した女性は、八月に死体で発見された。同窓会にいくと言って家を出たきり、戻らなかった妻だ。毎週テレビの向こうで夫は妻に語りかけていた。けれど八月の放送で、殺人事件として扱われた。犯人は、女性がかつて交際していた男性だった。テレビの取材にも応じていた。心配だけど、ぼくにはもう関係のない人だから、と言っていた。容疑者が逮捕されてから、新聞にもちいさくそのことがのっていた。八月の放送では、自分たちの番組が事件の解決に一役かったことを、司会者が真剣な面もちで伝えていた。次の週にはもう、その女性に関することは触れられず、また新たな行方不明者の顔写真が画面に映っていた。今もまだその番組を、麻美は夫の智とともに見ている。毎週のようにどこかのだれかがいなくなる。見つかったり見つからなかったりする。

「あいつが犯人だったのか」

八月の放送を見ていた智は、探偵小説を読み終えた子どものように言った。

「あんなにふつうに取材を受けてたのにね」

日本酒を飲みながら麻美も言った。

「この女の子も、家出くさいけど殺されてるかもしれないよな」

新たな失踪者の顔写真を見て、さほど興味もなさそうに智は言った。

テレビ画面を通してしか見たことのない、殺された女性のことを、しかし麻美は九月になっても十月になっても、忘れられないでいた。夕食の支度をしようと、そら豆の莢《さや》をむいていた彼女が、かつての交際相手から連絡を受け、そら豆をそのままに家を出ていく様子が、まるで見たように思い浮かんだ。きっと彼女はその交際相手をまだ好きだったのだろうと麻美は思う。ときどきこっそり会っていたに違いない。だから連絡を受けたとき、夕飯の支度をそのままに家を飛び出したのだ。たぶん、せわしなく口紅を塗り、あわただしく眉《まゆ》を描《か》いて。

せわしなく口紅を塗り、あわただしく眉を描き、智に送るメールの文面を麻美は考える。裕美子と充留の名前は出しすぎるほど出しているから、べつのだれかにしたほうがいい。年賀状のやりとり以外、もう会うこともない数人の顔を麻美は思い浮かべる。会社の同僚だった亜希《あき》。大学でときどき食事をした尚美《なおみ》。高校時代の親友、ゆかり。だれの名前でもいいような気もするが、今まで聞いたこともない名前が出てきたら智は疑うのではないか。やはり無難に裕美子と充留にするか。彼女たちの名前で言い訳をしたのは一カ月も前だから、不自然ではないだろう。裕美子に新しい恋人ができたからみんなで食事をすることになったの。うん、それでいこう。

化粧を終えた顔を点検し、自分の姿を全身鏡で確認し、コートを羽織って麻美は家を出ていく。門に手をかけたところで、しかしガスをつけたままのような気がして、いらいらと鍵《かぎ》を開ける。ブーツを脱ぎ捨てて部屋に駆けこみ、台所を調べる。ガスは消えていた。さっきまで火にかけていた鍋《なべ》の蓋《ふた》が、きゅうううと、鳴くような音をたてているきりだった。

ふたたび玄関の鍵を閉め、門から出る。玄関先に飾り立てたポインセチアが早くも枯れていたことに、駅へと向かいながら麻美は気づく。

もしこのまま私が帰らなかったら、夫はあの番組に追跡調査をお願いするのだろうか。昼下がりの町を歩きながら麻美はそんなことを考える。だって作りかけのシチュウが鍋にあったんです。出ていく意思のある人間がシチュウを作ろうなんて思いますか。あの女性の夫のように、真剣な顔でそう訴えるのだろうか。

このまま帰らなかったら。そう考えると、あまやかな気分になった。本当に帰らないかもしれない。続けて思うと、いっそう気持ちが高揚した。十五分ほど歩くと駅に出る。昼間だというのに駅は人でごった返している。学生、会社員、主婦、小学生や中学生。雑踏のなか、券売機のわきにある鏡をのぞきこみ、麻美は自分の顔を確認する。半年前までは、ここに鏡があることすら知らなかった。

スイカカードを自動改札に押しつけて、麻美は軽い足取りでホームへと向かう。

待ち合わせは新宿だった。髙島屋の入り口の前。もちろん宇田男はなんの計画も立てていないだろうが、麻美はしっかり立てていた。髙島屋とハンズを歩き、クリスマスプレゼントを選び、時間が余ったら映画を見て、食事をし、そのあとホテルに向かう。クリスマスイブにも当日にも会えないのだろうから、少し早いが今日クリスマスを祝うとして、いつもいくようなラブホテルにはいきたくないと麻美は考えていた。パークハイアットとまではいわないけれど、センチュリーハイアットやプリンスホテルにいきたい、それならば宿泊したってかまわない。映画みたいに朝食を宇田男とベッドで食べるのだ。今日のデートが決まってから、よほどどこかのホテルを予約してしまおうかと麻美は考えたのだが、そういうことを女性がしてもいいものかどうか、それで宇田男がおもしろくない思いをするのではないかと不安になり、やめておいた。

約束の三時になっても、しかし宇田男はあらわれない。いつものことだから麻美はとくに気にしない。まだ明かりの灯《とも》っていないクリスマスのオーナメントを眺め、にやつきそうになる口元を引き締めてそこに立っている。

六月から五回宇田男に会った。町をぶらつき、食事をし、ラブホテルにいく。あるいはラブホテルにいき、町をぶらつき、食事をする。順序は違うがデートの内容はだいたいい同じである。麻美はこの半年で、急速にいろんなことを知った。ラブホテルには和風だの洋風だのカラオケつきだの、いろんな種類があるとはじめて知ったし、漫画喫茶というところにもはじめていった。立ち飲み屋にもはじめて足を踏み入れ、ホルモンというものをはじめて食べた。宇田男は麻美にとって、未知なる世界に向かって開かれた扉のようなものだった。食事にしても休憩にしてもちょっとした買いものにしても、いつも財布を開くのは自分だったし、つまるところそれは智のお金ということになるのだが、麻美はちっとも気にしなかった。未知なる世界にタダでいけるとは思っていなかった。また家事を任されている自分が智のお金を使うのは当然のことだとも思っていた。智のボーナスで、今日のために洋服やブーツを新調するのにもためらいはなかった。

夫の智に対する麻美の気持ちは、この半年でずいぶん変わっていた。物理的な触れあいはないが、しかし自分たちは真の夫婦だと、半年前までは思っていた。同世代の夫婦に比べたらずっとうまくいっているほうだし、恋愛感情はないがそれよりももっと深い愛情で結ばれていると信じていた。しかし今まではなんとも思わなかった智の一挙手一投足が、日に日に目につくようになった。酒を飲まず掻《か》きこむようにする食事。長々と続くメール交換。酒を買っていこうかという気まぐれな発言。真の夫婦の証《あかし》だったはずの会話の少なさも、麻美を苛立《いらだ》たせた。

麻美は夫との生活を嫌悪しはじめていた。不当に閉じこめられているとすら感じていた。ときおり本気で逃げることを考えた。離婚という実際的なことを考えるより、失踪することを空想したほうが、なぜか麻美には現実感がもてた。身のまわりのものだけボストンバッグに詰めて、宇田男のところにいく。宇田男とそのままどこかへ逃げて、その土地で暮らす。

またもや靄《もや》のように自分を覆いはじめた空想から、ふと麻美は我に返る。時計を見る。もう四時を数分すぎている。陽《ひ》はとうに傾いている。しかし宇田男の姿はどこにもない。一時間の遅刻はめずらしい。麻美は携帯電話を取り出し、宇田男の番号にかけてみる。この電話は電源が切られているか電波の届かないところに——と声が告げる。メールを打つ。今髙島屋の前にいるけど、忘れてない？　約束は三時だったよね。送信するが、返事はこない。

携帯電話を取り出したついでに、夫にもメールを打つ。裕美子が新しい恋人を紹介したいって言うから、集まることになったの。遅くなるね。鍋にシチュウができてるからあたためて食べて。

夫からはすぐに返事が返ってくる。この返信の早さも、意味もなく麻美を苛立たせる。了解。今夜はシチュウか。寒いからうれしいな（変な顔文字）。きみはどこで何を食べる予定なの。

新宿で……返信を打とうとし、しかしまた返信の応酬になるのが億劫《おっくう》で、麻美は携帯電話を鞄《かばん》にしまう。顔を上げて行き交う人を見つめる。宇田男の顔はない。

宇田男の顔はないが、しかし雑踏のなかに見知った顔を見つける。澤ノ井正道。一時間も男を待っていることを悟られたくなくて、麻美はとっさにうつむくが、それより早く向こうが気づいてしまったらしく、正道はこちらに向かって歩いてくる。

「段田さんじゃん。どうしたの、平日の昼間に、こんなところに突っ立って」

正道の隣には若い女の子がいた。人見知りの幼児のように、正道の後ろに隠れるようにして、じっと麻美を見ている。

「そっちこそどうしたの。平日にぶらついて」

「ああ、今日はおれ、代休なの。こないだの土日に晴海《はるみ》でイベントがあって」

正道の仕事はなんだったっけと思いながら、麻美は笑顔を作る。

「私は待ち合わせ。これからびっくりする人がくるわよ」

「え、だれ」

正道の顔に瞬間とまどいがあらわれる。裕美子がくるのではないかと思ったのだろう。

「佐山宇田男。これから彼と会うの」

「へえ、宇田男と。なんか意外な組み合わせ」

やってくるのが裕美子ではないと知って安心したのだろう、正道は顔をほころばせた。

それを見て麻美は言っていた。

「ねえ、もうじき彼、くると思うから、お茶でも飲まない？　もし急いでなかったらでいいんだけど」

正道に――いや本当は正道にではなくても、裕美子でも充留でもよかったのだが――、宇田男とともにいる自分を、麻美は見せつけたかった。意外だろうがなんだろうが、現実に自分たちは交際をしているのだと、そのことを知らしめたかった。

「そうだな。ちょうど休みたいところだったし。どうする、いい？」

正道は隣にいる女の子を見る。女の子はあまりうれしそうには見えなかったが、いやだとは言わなかった。道路をわたり、スターバックスのテラスに座る。正道が三人ぶんの飲みものを買いにいき、麻美は見知らぬ女の子と向かい合う。

「私、段田麻美です。澤ノ井くんとは元クラスメイト」麻美は自分から自己紹介をした。

「野村遥香です」

女の子はにこりともせず言い、軽く頭を下げた。彼女が名前しか言わないので、何者であるのか麻美は想像するしかない。離婚の原因の女だろうと麻美は推測する。それ以外にあり得ない。そう思うとにわかに下世話な興味がわき、麻美は女を無遠慮に眺めた。たしかに裕美子よりは若いし、顔立ちも美しい。でも何か、裕美子にあったものがこの子にはない。きれいだけれど、何か足りない。そのせいで、あまり魅力のある女性には見えない。麻美はそんな結論を出す。それから不思議に思う。この子にはなくて裕美子にあったのは、ではなんだろう？

「今から私たちのクラスメイトがくるの」

笑わない遥香に、麻美はにこやかに言った。すると驚いたことに、

「ひょっとして、ユミコさんもいますか？」

野村遥香は硬い表情のままそんなことを訊《き》いた。裕美子のことを知っているのか。しかも、快く思っていないのか。まあ、当たり前かもしれないけれど。心のなかで納得しながら、

「まさか。これからくるのは佐山宇田男って人。男よ」と言った。少しだけ遥香の表情が和《やわ》らいだ気がした。

トレイにマグカップを三つのせた正道が戻ってくる。席に着き、

「そういえばさあ、段田さん、けっこう前だけど、大久保の漫画喫茶にいなかった？」

いきなり訊く。麻美は驚いて声が出なかった。顔が赤くなるのがわかる。あれは八月だ。宇田男とやはりラブホテルにいき、泊まると言っていたのに宇田男はことが終わると帰ると言い出した。夫に、今日は充留の家に泊まると言ってメールを送った後だったから、じゃあ私はひとりでここに残ると麻美は言ったものの、清潔とは言い難い部屋にひとりでいるのがわびしくて、結局宇田男とともにホテルを出た。宇田男は麻美からタクシー代を借りるとさっさといなくなってしまい、行き場のない麻美は、かつて宇田男が連れ

ていってくれた漫画喫茶を訪ね、始発が走り出すのを待っていたのだった。その一連を、ラブホテルのところから、すべて正道に見られていたような錯覚を抱く。

「やだ、私が、どうしてそんなところに」

とっさに麻美は言った。

「だよな。他人のそら似だよな。専業主婦の段田さんがあんなところにいるわけないもんな」

自分でごまかしたくせに、正道のせりふに麻美はかちんとくる。宇田男とのことを知らしめたいのか隠したいのか、麻美は自分でもよくわからない。

「ちょっとごめんね。ここにいるってメールを送っておくから」

麻美は笑顔で言い、背を丸め携帯に文字を打ちこんだ。送信してから、麻美は返信を待って携帯電話をしばらく見つめる。向かいで正道と遥香が、何か小声で話している。麻美は耳をすますが内容は聞こえてこない。返信のこない携帯電話をテーブルにおき、麻美が顔を上げると、二人は会話をやめ黙ってマグカップの中身をすすった。どことなく気まずい雰囲気が流れている。

「しかしなんでまた、宇田男と段田さんが」

居心地の悪い沈黙を破るように正道が口を開く。

「なんでって？　へん？　私たち、最近よく会うの。気が合うっていうか」

携帯電話に視線を走らせながら麻美は言う。早くきて宇田男。私といっしょのところを、私と恋愛しているのだということを、この元同級生にわからせて。そう思いながら。

「へええ。意外な感じだなあ」

そうくりかえす正道に苛立って、

「澤ノ井くん。野村さんは澤ノ井くんの新しい恋人？」

麻美は無遠慮に訊いた。

「新しい、ってのはないでしょ」

正道は困ったように笑った。遥香は不機嫌な表情を隠そうともせずそっぽを向いている。

「店内に座ればよかったかな、陽が落ちてくるとたんに冷えこむよな」

正道がのんきな声を出す。麻美は泣きたい気分で携帯電話を見つめる。携帯電話のデジタル時計は四時五十七分を示している。宇田男からの連絡も返信もない。デパートの前のオーナメントに灯《ひ》がともる。周囲にいた人たちが、ちいさく歓声を上げる。

「宇田男、遅いね」両手を太股《ふともも》のあいだに挟み、そう言う正道の息はすでに白くなっている。

「何かあったのかしら。連絡もなくこんなに遅れるなんて、めったにないから」言い訳をするような口調になった。

待ちぼうけを食わされているらしい麻美をひとり残して去ってしまっていいものかどうか、あきらかに困った顔で正道はイルミネーションを見つめている。一刻も早く正道と二人きりになりたいらしい遥香は、空のマグカップをいじったり、そわそわと腰を動かしたり、時計を見たり、無言のデモンストレーションをしている。

「ねえ、これからどうする予定だったの？」麻美は口を開いた。

「いや、どっかそのへんで飯でも食って……」正道が最後まで言い終わらないうちに、麻美は身を乗り出して言った。

「私もいっしょにいっちゃだめ？　三人でごはん食べましょうよ」

ひとりで帰るわけにはいかなかった。このまま帰って、八時に帰ってくるだろう智と、昼過ぎに作ったシチュウを食べるわけにはいかなかった。

「ああ、うん、べつにいいけど……」

正道は遥香を見やりながら口ごもるように言い、遥香はそっぽを向いたままため息をついた。もちろん麻美は聞こえないふりをした。

強い感情と麻美はずっと無縁だった。強い感情を示す人々は、何か演技をしているんだろうと思っていた。たとえば澤ノ井正道と坂下裕美子である。

彼らが交際していることを、学生時代の麻美も知っていた。交際しては別れ、別れてはくっついていることも知っていた。何人かで酒を飲みにいく。最初は楽しく飲んでいたのに、急に裕美子が大声で正道をなじりはじめる。正道がにやにや笑いで何か答える。裕美子は店を飛び出してどこかにいってしまう。充留が追いかけていく。数人が正道を責め立て、仕方なくというふうに彼も店を出ていく。彼らは帰ってこない。残った数人は、裕美子と正道の恋の行方をさかなにだらだらと飲み続ける。

あの人たち、お勘定払わなかったわ。

そんなとき麻美が思うのは、そういうことだった。店を飛び出していった先で、何が起きているのか麻美にはよくわからなかった。好きだ、とか、愛している、とか、道路っ端《ばた》で大声で叫び合ったり、抱き合ったりするんだろうか。ドラマで見た場面と重ねて想像するものの、何がどのように「好きだ」「愛している」に結びつくのか、あるいは叫び合ったあとどうするのかは、想像するのが難しかった。

大学の構内で、裕美子が正道をひっぱたいているのを見たこともあった。正道はされるがままになっていた。裕美子はそのあと手にしていたバッグをふりまわして正道を殴り、バッグは裕美子の手を離れてアスファルトに落ち、中身がばらばらと広がった。裕美子はそれらを拾いもせずその場を去り、正道は散らばったバッグの中身をぼんやりと見おろしていた。

あのバッグの中身はだれが拾い集めるんだろう。

そのときも、麻美が思うのはそんなことだった。

充留が泣いているのを偶然見たこともある。やはり数人で飲みにいったとき、トイレに立つと洗面所で充留がうずくまって泣いていた。ほとんど号泣だった。具合が悪いのかと近寄って訊くと、麻美の手をふり払い個室にこもって泣き続けていた。空いている別の個室で用を足しながら、麻美は充留の泣き声を聞いていた。吠《ほ》えるような泣き声はそのうち、嘔吐《おうと》する声に変わった。席に戻り、隣にいた邦生に、充留がトイレで泣きながら吐いていると伝えると、彼は心配するどころか大声でそれを言いふらし、あろうことか全員が笑い出した。

泣くほどつらいことも、人をたたくほど怒ることも、涙を流して笑うようなことも、麻美には無縁だった。いつもしらふで、いつも平静だった。だから麻美は、泣いたり騒いだりする彼らの感情の起伏が理解できなかった。その起伏を無防備にさらけ出すことはもっと理解できなかった。中学生のときより高校生のときより、クラスメイトたちは感情のぶれが激しいように見えた。まるで幼稚園に戻ったみたいじゃないかと思うときもあった。酔っぱらうということのない麻美には、酒が気分を解放するということもまた、わからないのだった。

きっとみんな、演技をしているんだ。麻美はそう思ってみた。だれかを好きだという演技、好きなだれかに好かれなくてつらいという演技、別の人を嫉妬《しっと》するという演技、怒る演技笑う演技。今まで見てきた幾多のドラマを、大学を舞台にここぞとばかりになぞってやれと、みんながみんな思っているに違いない。そう考えてみれば、裕美子や充留や宇田男や正道の大学生活は、麻美にとってブラウン管の向こうのように遠かった。

だからこそ、麻美はあこがれたのだった。田舎の中学生が、都心を舞台にしたお洒落《しゃれ》なテレビドラマにあこがれるように。願わくば自分もブラウン管の内側で、心の底から泣き叫んでみたり、嫉妬に苦しんでみたり、空を仰いで声のかれるまで笑ったり、してみたいと思った。

大学を出てそのまま玩具メーカーに就職した。就職して二年後、同じ部にいた松本智と交際をはじめた。麻美にははじめての交際だった。男の人とつきあったら、ブラウン管の向こうにあるような騒ぎの渦中に放《ほう》りこまれるのだろうと思っていたが、裕美子たちとは正反対の、静かな交際だった。週末にともに食事をし、ときどき映画にいったりドライブにいったりする。半年後、智の実家に呼ばれて食事をし、なんとなく結婚の話が出た。プロポーズもなかった。それでも、結婚するの、と宣言したときは気持ちがよかった。早く実家に帰ってこい、地元で就職しろとうるさく言っていた両親は、ようやく何も言わなくなった。裕美子も充留も目を丸くして驚いていた。あのときだけ、結婚することが決まってから式までのあいだだけ、麻美はようやく自分がブラウン管の内側に入ることができたような錯覚を味わった。

その錯覚は、結婚式のさなかには、すでに消え去っていた。

雛壇《ひなだん》に智と座った麻美は、ゲスト席に座るかつてのクラスメイトたちを見ていた。かつてそうしていたように、まぶしく眺めていた。友人の結婚式にはじめて参加するという裕美子と充留は派手に着飾っており、学生街の居酒屋と同じように酒を飲んで酔っぱらい、またしても正道と裕美子が何かでもめ、邦生がとりなし、充留は宇田男を目で追っていた。松本家と段田家双方の親類の、非難の視線をものともせず、彼らは好き放題にはしゃいで、騒いで、悪ふざけをし、痴話喧嘩《ちわげんか》をしていた。主役はウェディングドレスを着た自分ではなく、やはり彼らだと麻美はぼんやり思っていた。松本智に嫁ぐ自分が、どうしようもなく退屈な人間に思えた。結婚に対する期待も不安も、昨日まで自分を満たしていたもののすべてが、とたんに色あせて見えた。

結婚式のあとで、智も麻美の友人たちを非難していた。ずいぶん常識のない友だちばかり集めたものだなと、冗談めかしてはいるがはっきりおもしろくない口調で言った。

まだ学生気分が抜けないのよ、と麻美は智に同意するように言ったものの、心のなかで智を見下《みくだ》していた。あなたにはどうせわからない。肩を組んで平気で校歌を歌うような友だちしかいないあなたには、私たちのことはわからない。夫になったばかりの男をそうして見下すのは気持ちがよかった。そのときばかりは、自分も彼らの側にまわることができたから。

雑居ビルのなかにある居酒屋で、もう何杯目かわからないおかわりを麻美は頼む。野村遥香はほとんどしゃべらず、料理をほんの少しつまんだだけで、退屈そうに店内を見まわしている。正道と会話するものの、すぐにそれはとぎれてしまう。話がとぎれるたび正道はばつが悪そうに料理を箸《はし》でいじくりまわすが、そうするタイミングがつかめないのか、なかなか店を出ようとはせず、麻美とともに酒ばかり飲んでいる。十時を過ぎているが、依然宇田男からの連絡はない。トイレにいくたび麻美は電話をかけたし、メールも送ってみたが、あいかわらずつながらなかったし、返信もなかった。

正道の煙草《タバコ》が切れたのを見て取ると、

「煙草、買ってくるよ」

頼まれもしないのに遥香が席を立つ。その後ろ姿を見送って、

「あの人より裕美子のほうが魅力的だと思う」

麻美は正道に言った。ずっと仏頂面の遥香がいなくなると、少しばかり気分が楽になった。

「もういいよ、それ」

正道は笑って言う。「だれがだれよりいいとか、そんなの言ったってしょうがないよ、段田さんがつきあうわけじゃないんだし」

「それはそうだけど。でも、何が気に入らないのか知らないけど、ずっとぶすっとして話もしないし、ちょっと子どもっぽすぎるんじゃない？　デートのじゃまをした私も悪いけど」

「なんか、学生時代のことに関して、過剰反応するんだよなあ」

彼女が席を立って正道もまたほっとしたのか、天井を向いて間延びした声を出す。

「段田さんが裕美子の話なんか持ち出さないでくれて助かったよ。裕美子の名前が出ようものなら、何を言われるか」

「なんか若い恋愛ねえ」

茶化すように言って、麻美は遥香が座っていた席を見た。彼女の気持ちが理解できた。何かとてもおもしろいことがテレビ画面のなかで起きていて、しかし自分はけっしてそこに入れない、自分はこちら側で見るしかない、そんなふうにきっとあの子も思っているんだろう。

「それより、段田さん、もう十時過ぎてるけど、帰らなくて大丈夫なの。一応、あなた主婦でしょ。宇田男の連絡をまだ待ってるの？」

麻美は言葉に詰まる。どうすればいいのか麻美もよくわからないのだ。正道は続ける。

「宇田男、どうせドタキャンでしょ。そういうやつじゃん。おれんちも遠いから、彼女帰ってきたら、そろそろお開きにしない？」

帰りたくないのだと麻美ははっきり自覚した。その気持ちの強さに自分自身でびっくりする。智と暮らす家に帰りたくない。宇田男に会えずに帰りたくない。

「ねえ、宇田男って、どういう人だと思う?」

だから麻美は宇田男の名前を出した。宇田男を知っている人と宇田男の話をしていれば、彼に会っているような気になれた。

「今更どういう人って訊かれても……よく会ってるんならそっちのほうが詳しいんじゃないの」

腕時計に目を落としながら、どうでもいいことのように正道は答える。

「裕美子なんかはあまり評価してないみたいだけど、男から見たら、どういう人なんだろうって思って」

麻美は食い下がった。裕美子、という名が出て、正道は目線をあげ遥香をさがすように入り口を見やってから、言った。

「おれもあんまり会ってないからわかんないけど、学生のころとぜんぜん変わらず、マイペースなやつなんじゃないの。評価しないっていうのは、でも、どうかと思うよな。人がどんなふうにしてようが、何をしてようがしていまいが、こっちがどうこう言える立場でもないだろう。だいたいあいつはすぐに勝ちとか負けとか、成功とか失敗とか、そういうこと口に出すんだよな、でも」

そこで正道は言葉を切った。ごまかすようにほとんど空のグラスを口に持っていく。麻美がふりかえると遥香がこちらに歩いてくるところだった。

「外まで買いにいっちゃった」

遥香はぼそりと言うと、煙草をテーブルに投げ出すように置く。

「悪かった、サンキュ。もうそろそろいこうかって、今」

正道はもぞもぞと尻《しり》を動かし、帰り支度をはじめる。遥香もほっとしたように足元に置いたバッグを膝《ひざ》にのせる。

「もう少しつきあってよ、澤ノ井くん」

麻美は正面にいる元同級生に笑いかけた。笑いかけたつもりだったが、右目からほとりと涙がこぼれた。正道はぎょっとした顔で麻美を見たが、麻美のほうがもっと驚いていた。

「帰りたくないの。もう少しでいいからつきあってよ。宇田男、これから合流するかもしれないし」

視界がぼやけ、左目からも涙がこぼれた。遥香は不審そうなまなざしで麻美を見つめ、それから同じ視線を正道に向ける。

「なんだよ、どうしたんだよ急に。何かあったの、旦那《だんな》と喧嘩でもしたわけ」

正道ははっきりと迷惑そうな声音で麻美に訊く。

涙は続けざまにこぼれ、鼻水まで垂れてきた。勢いよく鼻をすすり、そうして麻美は、今まで一度も感じたことのない心地よさを味わっていた。気持ちがいい、と麻美は思った。人前で泣くのってこんなに気持ちがいいのか。ああ、だから彼らは、いつだってあんなふうにみんなの前で泣いたり騒いだりしていたのか。気持ちがいいから。

「あのね、ごめんね、この人はなんにも関係がないの。ただ、あのね、私ね、帰りたくないの。それで、同級生のよしみで、もう少しつきあってって頼んだの。野村さん、あなたもよければもう少しいっしょにいてくれない？　おもしろくないだろうけど、私はこの人とはなんにも関係がないし、早く二人になりたいところをじゃまして申し訳ないけど、私、ちょっとどうしていいかわからなくて」

遥香は膝にのせたバッグから何かを取り出しテーブルに置いた。ティッシュだった。麻美はそれを手元に引き寄せ、

「ありがとう」

遥香に笑いかけ思い切り鼻をかんだ。遥香は眉間《みけん》にしわを寄せじっと麻美を見つめている。

「あと一時間くらいなら……」

あきらめたように正道は言い、真新しい煙草のパッケージの封を切る。

「たいへんそうですね、いろいろ」

遥香が声を出した。ぽんと煙草をテーブルに投げ置くような言いかただった。それを聞いて正道がちいさくふきだす。

「なんで笑うのよ」

「だってたいへんそうって……」

「たいへんそうだからたいへんそうだって言ったんじゃない。泣くくらいたいへんなんでしょ」

「だからって……」恋人たちは小声で言い合いをし、「いや、悪い」正道は麻美の視線に気づいて謝った。

「いいわね、澤ノ井くんは」

麻美は言った。なんだかおかしくなって麻美も笑った。笑ったのにまだ涙はあふれた。それもまた心地よかった。私と別れたら正道はこの年若い恋人を連れて自身の住まいに帰るのだろうと、麻美はそんなことを考えた。自分もそこにいっしょに帰りたいと思った。リビングのソファで寝て、明日、二人のために朝食を用意してやるのだ。出勤する二人を見送って、食器を片づけ、部屋を掃除する。智の待つ家に帰るよりはそのほうがよほど楽しいことに思えた。そこまで考えたとき、携帯の音が鳴ったような気がした。麻美はあわてて鞄から携帯電話を取り出す。メールが受信されていた。ボタンを押して確認する。宇田男からだった。

急用が入っていけなくなった。ごめん。また連絡する。

ディスプレイに表示された文字をくりかえし読んでから、麻美は携帯電話を二人に向けてかざして見せた。

「宇田男からだったわ。今日のこと、忘れてなかった」

麻美は弾んだ声で言い、もう一度ディスプレイに目を移したので、顔を合わせる二人の、困ったようなあわれむような表情には気づかなかった。

　なんていうか、この人たち、すっかりおばさんなんだわ。と、正道の部屋に集まりはじめた連中を見て、野村遥香は思った。いちばんに駆けつけてきたのは、蒲生充留とその彼氏で、彼氏はソファに腰を下ろしたまま落ち着かない様子で部屋のなかを見まわしている。充留は、遥香のいれたコーヒーに手もつけず、

「何人くるの？　夕食はどうするの？　なんならみんながそろうまでに私が何か買ってきて作ろうか。それと澤ノ井、お酒はあるの」

　と、矢継ぎ早に正道を質問攻めにした。パーティがはじまるわけでもあるまいし。

「なんにもないけど、でも、おれたちこれから話し合うんだろ」

　充留にそう答える正道は、なんだか私の知っている正道ではないみたいと遥香は思う。私の知っている、博識で自信に満ちた澤ノ井正道ではないみたい。

「そりゃそうよ。でもこんなことしらふで話し合うわけ？　私はそんなのごめんだけど。

飲まなきゃやってられないじゃない」

充留に詰め寄られ、「ああ、そうか、そうかもな」と曖昧《あいまい》に答える恋人を、遥香は鼻白んだ顔で見る。

インターホンが鳴り、次にあらわれたのは裕美子だった。

「裕美子がきた」

玄関の戸を開けにいった充留がそう叫ぶのが聞こえたとき、遥香は緊張した。恋人の別れた妻を見るのははじめてだった。

「ねえちょっと、麻美のこと、本当なの」

部屋にあらわれるなり、裕美子は遥香にも充留の恋人にもかまわず正道に詰め寄った。

「本当なんだって、信じられないよね」

「あなたはどこまで知ってんの」

「ちょっとまず落ち着いてから話そうよ。それで今ビールをさ……」

「えっ、ビール？　なんでビールなのよ」

「だからしらふで話すよりは、酒でも飲みながらのほうが気が楽じゃないの。どうせ時間かかりそうだし」

「それもそうだよね、ね、なんかあるの？」

裕美子は図々《ずうずう》しくキッチンに向かい冷蔵庫を開けている。

おばさん。遥香は再度思う。元同級生がいなくなったというのに、こんなに嬉々《きき》として集まって、パーティかなんかをはじめるみたいにお酒のことばっかり心配して。

「じゃあちょっとさあ、重春、ぱぱっと買ってきてよ、今メモ書くから」

充留がやかましくわめく。ソファに座ったままの恋人は、ぐずぐずと立ち上がり充留のもとにいく。

「私、いってきましょうか。彼、このあたりの地理、知らないだろうから」遥香が声を出すと、全員が動きを止めて遥香を見た。裕美子が、はじめて気づいたように自分を見たことが遥香は気にくわなかった。

「うん、じゃあ、悪いけど、頼むわ」

正道がほっとしたような顔で言う。「あ、こちら野村遥香さん。こっちが蒲生充留で、それから彼女が坂下さんで、彼が充留の恋人の……」今さらながら正道が自分を紹介することも遥香は腹立たしかった。

「重いけど、ひとりでだいじょうぶ?」

ひととおり紹介を終えた正道がメモを渡しながら訊《き》く。てっきり重春もついてくるとなぜか思った遥香は、「平気よ。ね?」と彼に話しかけたのだが、彼はきょとんと遥香を見ているだけで、遥香が部屋を出てもついてこなかった。充留も、彼にいけとは命じなかったらしく、靴をはき終えても玄関を出ても、重春はあらわれなかった。

ばっかみたい。心の内で悪態をつきながらエレベーターに乗る。日暮れどきの町を歩きながら、渡されたメモに目を落とす。

「げっ」遥香は顔をしかめ声を出した。「なんでこんなに大量のお酒が必要なのよ」渡されたメモには、ビールロング缶六缶パック、焼酎《しようちゆう》（あれば芋と麦を一本ずつ）、赤ワイン×三、四本（内二本は五千円以上のもの）と、わざわざ種類や値段まで明記されている。「ばっかじゃないの」遥香はもう一度、今度は声に出してつぶやいて、商店街に向かう。

活気があるとはいいがたい商店街を歩きながら、遥香はたった今会ったばかりの裕美子を思い出す。赤地に寒色のストライプが入ったセーターにチノパンツという格好はなんだか小学生みたいだった。ゆるいウェーブの髪をうしろでまとめていた。ほとんど化粧気がなかった。思ったよりもきれいだったけれど、とくべつ美人というわけではなかった。ふつうの人だった。ふつうの、三十代の。

あれほど会いたくなかった正道の元妻と元クラスメイトたちが、あと数時間でここにやってくると正道に聞かされたとき、東中野の自分の部屋に帰ろうかどうしようか遥香は迷った。迷ったあげく、正道の部屋に残ることにした。彼らに会いたくないから帰るなんて、なんだか逃げ出すみたいでしゃくに障った。それで、見てやろう、と開きなおった。彼らが到着するまでのあいだ、遥香は躍起になって昨日掃除したばかりの部屋を磨き上げた。鍋《なべ》やフライパンといった生活感の源はみなしまいつつ、ピンクとブルーの柄の歯ブラシはわざわざ棚から出してコップに入れ、洗面所に置いた。正道と二人で写っている写真が収まった写真たてもリビングの目立つところに移動させた。

掃除をすべて終えてから、遥香はなんでもありませんという顔をしてソファに座り、雑誌をたぐり寄せた。しかしページをめくる指が震えていた。自分の心臓の音が聞こえてきそうだった。私は何を見てやろうと思ったんだろうと、まったく頭に入ってこない記事に目を落とし遥香は考えた。元妻の顔。たたずまい。いや、関係だ、と遥香は思った。元妻と正道の、元クラスメイトと正道の、元クラスメイトであった彼らの関係がどんなものであるのか、見てみたいのだ。

色あせたポスターがべたべた貼《は》られた酒屋のガラス戸を開ける。暗い店内の向こうで光が点滅している。店の奥が居間になっており、一家がそこでテレビを見ているらしかった。うっすらと埃《ほこり》の積もった棚には、日本酒はあるが芋焼酎なんてない。ワインはあるにはあるが、銘柄が極端に少ない。あんな人たちのためにいい酒をそろえることもない、ここで適当に買っていくかと遥香はワインボトルに手をのばすが、しかし、千円もしない国産テーブルワインが自分の趣味だと思われても困る。お店の人がなかなか出てこないのをいいことに、遥香はガラス戸をそっと開けておもてに出る。背の丸いおばあさんがショッピングカートに寄りかかるようにして歩いていく。遥香はため息をつき、きた道を戻りはじめる。

次々に到着した彼らをほんの五分足らず見ただけで、彼らの関係を理解できたような気が遥香はしていた。なんというかわちゃわちゃと、さぞやわちゃわちゃとした関係なのだろうと遥香は思った。

駅に向かって歩くうち、遥香のなかにぼんやりと少女の姿が浮かび上がり、だんだんと輪郭を濃くしていった。えっちゃん。彼女の姿が胸のなかにくっきりと浮かび上がって、遥香は彼女の名をそっと口にした。

ダンス教室に通っていた小学生のころ、同じレッスンを受けていた女の子だった。彼女と遥香は次第に仲良くなり、レッスンの行き帰りは必ず待ち合わせをした。いっしょの中学にいこうと約束もした。実際遥香と彼女は同じ中学に進学するのだが、幼いころの関係は成長するにつれだんだん変化した。遥香は小学生のときのように、えっちゃんをただ好きなだけではなかった。えっちゃんも同じだったろう。えっちゃんのいいところと同時に、いやそれ以上に、悪いところをあげることが遥香はできた。やさしいけど八方美人。話がおもしろいけど秘密が守れない。人の話を聞いているように見えるけれど、あとでネタにして他人と笑う。勉強ができることを鼻にかけないけれど、自分のようにはできない人を見下《みくだ》している。遥香は、きっとえっちゃんもそんなふうに自分を見ているんだろうと思った。そのことがこわかった。えっちゃんの欠点を忌むことより、自分の欠点を数え上げられることのほうが。

中学生の遥香が、友人数人を味方につけてえっちゃんをいじめはじめたのは、たぶんその恐怖の故だった。えっちゃんが嫌いだったからではなく、えっちゃんに嫌われることを恐れたからだと、成長してから遥香は気づいた。

遥香は友人数人とともにえっちゃんを無視し続けた。えっちゃんはいつも窓際にひっそりと座っていた。ダンス教室もやめてしまった。そのまま遥香もえっちゃんも中学を卒業し、遥香は地元の共学校に、えっちゃんは電車で一時間半かかる女子校へと進学した。

最後まで話すことのなかったえっちゃんと遥香がばったり出くわしたのは、高校二年の夏休みだった。地元に新しくできたショッピングモールで、向こうから歩いてくるえっちゃんを見つけ、遥香はさっと隠れようとした。しかし遥香が隠れるより先にえっちゃんが気づき、笑顔で近づいてきた。「久しぶり」小学生のときと変わらない笑顔でえっちゃんは言った。もごもごと挨拶《あいさつ》をする遥香に、笑顔のままえっちゃんは言ったのだった。「ハルちゃん、今もだれかを傷つけて楽しんでいる？」

唖然《あぜん》とする遥香にえっちゃんは手をふり、「二度と顔も見たくない」それもまた笑顔でつぶやいて去っていった。

それから上京するまでのあいだ、出歩くとき遥香はいつもびくびくと周囲をうかがった。えっちゃんに見つからないように。そうしている自分に心底嫌悪を感じていたにもかかわらず。

以来、遥香は距離を置いてしか友人とつきあうことができない。だれかと親しくなることはその人を嫌い、その人から嫌われることだと遥香は気持ちのどこかで思っている。

遥香はつねに「恋人」と「友人」を区別している。遥香が距離を縮められるのは恋人だけだった。恋人ならば、嫌い嫌われて関係の終焉《しゅうえん》が見えたときは別れればいいのだから。十代のころから、遥香は恋人を友人に紹介することもしなかったし、友人を恋人に会わせることもしなかった。恋人と、恋人ではないその他大勢。それが遥香の分類だった。

携帯に無言電話がかかってくると正道についた嘘《うそ》を遥香は思い出す。なんとなくそれらしいことをにおわせれば、正道は裕美子の仕業だと疑うと思ったのだ。そうして裕美子のことを強く憎んで――あるいはおそれて――毛嫌いして――きっぱりと関係を絶ってくれると、単純に思ったのだ。けれどそんなかんたんにはいかなかった。正道はてんで取り合わなかった。その理由が、彼らの関係を見た今ならばわかる。

正道と、元妻を含む元クラスメイトたちは、おそらく、だれかに嫌われたことも嫌ったこともなく育ったのだろうと遥香は想像する。人との距離を縮めることをなんとも思っていないのだろう。わちゃわちゃと人と関《かか》わりながら成長し、そうして大学という場で似た人間をさぐりあて、寄り集まってわちゃわちゃと過ごし、そうして今もなお、わちゃわちゃと関わり合っているのだろう。好きも嫌いも超えたところで。彼らにとって好きはどこまでも肯定で、嫌いは無関心、それだけなのに違いない。

正道が裕美子を疑わなかったのは、そういうことをしそうか否《いな》かという話ではなくて、想像できなかったにすぎない。好きと嫌いが、肯定と否定がセットになっている状態など。

このあたりにしては品揃《しなぞろ》えの多いスーパーで、遥香はメモにあるものをひととおり買う。荷物を提げてみるとうんざりするほど重い。なんだかおつかい犬のようにおとなしく彼の元に帰るのが馬鹿馬鹿《ばかばか》しくなって、このまま電車に乗ってしまおうかと駅を越えるとき思ったが、結局遥香は眉間《みけん》にしわを寄せながら、正道のマンションを目指して歩く。冬の陽《ひ》はもうビルの向こうに消え、頭上には淡い紫色が広がっている。

部屋に戻ると、正道と裕美子、充留と重春は、ダイニングテーブルについて騒がしく議論していた。遥香はダイニングにいる彼らに背を向け、冷蔵庫に買ってきたものを収めた。いなくなったという元クラスメイトの行方について推測しあっているのだろうと遥香は思ったのだが、すぐ背後で交わされる会話を聞いていると、出前をとるのにピザにするか寿司《すし》にするか、はたまたお好み焼きか中華か、ピザにするならトッピングは何にするか、中華なら何品必要かを話し合っているのだった。

「ああもう、なんでもいいよ。電話するから早く決めてくれよ」

正道は言いながら台所にくる。酒類を冷蔵庫にしまう遥香に、

「悪かったな、あとで払うから。ちょっと馬鹿ばっかだけど、退屈したらテレビでも見るか、帰りたくなったら帰ってもかまわないからな」と、妙にやさしい声を出した。

中華料理屋に注文を伝える正道の声を聞きながら、遥香はグラスとビールを運ぶ。

「ごめんなさいねえ、買いものいってもらっちゃって」と充留が言い、

「お手伝いすることがあったら言ってください、あ、でも、台所とか、勝手に使われたらいやよね」と裕美子が言う。

「いいです、私やりますから座っていてください」

遥香は微笑《ほほえ》んで見せ、今の笑みはちゃんと余裕があるように見えただろうかとこっそり思う。

「ねえ、最後に麻美といっしょだったのは、澤ノ井じゃなくて遥香ちゃんなのよね？」

台所に戻ろうとした遥香を呼び止めて裕美子が言う。遥香ちゃん、と呼ばれたことにむっとしながら、

「そうですけど。でも、段田さん、あの日あのままいなくなっちゃったわけじゃないんですよね？」と今度は心配そうな表情を作る。

「段田さんって」充留が言うと、電話を終えた正道が、

「段田麻美って自分で名乗ったんだよ、あの日。な？」と遥香を見る。

「なんで旧姓で名乗ったのかしら」

「っていうか、麻美の名字って、なんだっけ。結婚して何さんに変わったんだっけ」

「あれ？　なんだっけ。おれも思い出せない」

「山本、じゃなかった？」

「え、山本麻美だっけ」

「やだー、なんでだれも思い出せないの」

またテーブルはにぎやかになる。遥香はダイニングから続く台所にいき、皿や割り箸《わばし》を用意しながら、なかなか本題に入らない彼らを呆《あき》れたような顔でふりかえる。

「松本……」グラスに移さず缶ビールにそのまま口をつけた重春が、はじめて口を開く。

「そうよ、松本！　やーだ、一回しか会ってないのによく知ってるよね」充留が大声をあげて重春の肩をたたく。

「旧姓を名乗ったってことはよ、麻美は離婚するつもりだったたってこと？」

「そういえば、うちにきたときそんなこと言ってたよね、離婚するつもりだって、わざわざ電話してきて、うちきたんだよ。ね？」

「……はじめての恋」重春はぼそっと言い、充留を見てくつくつと笑う。

「そうそう、はじめての恋を告白してさ」

「じゃあとっくに離婚してるんじゃないの」ビールをつぎ足してまわりながら正道が言うと、

「まだそんな話は出てないって、ダンナさんは言ってたわよ?」裕美子が彼を見上げて答えた。

「ていうか、ダンナ! なんで裕美子の家に電話かけてきて、今日ここにこないわけ? あんたの妻のことでしょうが。ねえ? しかも裕美子に電話してきたの、麻美がいなくなってけっこうたってからなんでしょう?」

「ねえ、遥香ちゃんもこっちきて飲まない?」

「そうだよ、あとおれやるから、座ってろよ。遥香はさ、聞いてないわけ、段田さんの携帯とか、メールアドレスとか」

声をかけられ、遥香はしぶしぶシンクを離れ、しかしダイニングテーブルには椅子《いす》が四脚しかないので、ソファに座る。四人は、いや正確には重春をのぞく三人は、たがいにビールをつぎ合いながら、いなくなった段田麻美についてせわしなく言葉を交わす。遥香はソファに腰掛け、手渡されたビールをちびちびと飲み、彼らの様子をじっと見守る。わちゃわちゃと方向性のない言葉をまき散らす彼らを。

「ねえ澤ノ井、確認するけどさ、本当に去年会ったとき、麻美は宇田男と待ち合わせをしていたって言ったの？　そんであんたも宇田男からのメールを見たの？」

「メールは見たけど」

「なんてあった？」

「用ができていけなくなったとか……だよな？」

正道がふりむき、遥香は幾度かうなずいてみせる。

「宇田男といっしょってことはないの？　宇田男に連絡はしてみたの？」

「それがさあ、だれも宇田男の連絡先知らないんだよ」

「だって宇田男、あんたたちのパーティにきてたじゃないの」と、離婚を強調するように言った。気、一応つかってるんだ、と遥香は思う。

「だって招待状は郵送だから」

「住所は知ってるなら、訪ねてみようか」

「何もそこまで……いっしょとはかぎらないし」

「まあね、あの宇田男と麻美がいっしょってことはあり得ないよね。前に、うちにもきたんだよ、麻美。なんかちょっとおかしかった」

「おかしいってなんだよ」

「うーん。宇田男が、宇田男が、って宇田男の話ばっかするんだけど、なんていうか妄想っぽいっていうか」

「妄想とは私は思わないけど、充留の話を聞くかぎりではたしかにちょっとへんよね。いかれてるっていうか……あれ、いかれてる、って表現あるよね？」

「氷川《ひかわ》きよしにいかれてる、とかそういう使い方？　それとも頭のねじがいかれてるっていう意味？」

「氷川きよしにいかれてる、のほうよ。っていうかなんで氷川きよしなのよ」

「いいじゃんそんなの、たとえなんだから。まあ、つまり佐山宇田男にいかれてるってことよ」

「あんたらさあ、へんな方向に話の腰を折らないでくれる？」

真顔で言い合う彼らを、遥香はソファから眺める。そうして彼らのなかに、あのとき会った段田麻美という女性を思い描いて加えてみる。

先月、正道とのデートをじゃました元クラスメイト、現主婦の、麻美という女は、信じられないことに、恋人にすっぽかされたあの日、遥香とともに正道のマンションまでやってきた。帰りたくないと飲み屋で泣かれ、しかたなく正道が連れ帰ったのだった。その日麻美は、和室に敷いてもらった布団で眠った。

明け方、遥香が目を覚ますと麻美は台所に立って朝食の準備をしていた。恋人の家の台所に勝手に入られて、遥香は当然おもしろくなかったのだが、

「ごめんなさいね、私主婦だから、なんだかこういうことしていないと落ち着かないのよ」

と麻美に泣き腫《は》らした目で言われ、

「いえ、私のうちでもないんで」

遥香もそんなふうに答えた。

麻美の用意した朝食——買い置きのパンとハムエッグとサラダとカフェオレ——をあわただしく食べ、正道が仕事にいってしまうと、部屋には麻美と遥香が残された。麻美は三人ぶんの皿をてきぱきと片づけ、布団を干し、遥香と自分にコーヒーをいれなおして、

「はじめて無断外泊しちゃった」と言って、お岩《いわ》さんみたいな目で笑った。

前日、図々しく割りこんでこられたときに感じた敵意みたいなものは、遥香のなかでじょじょに消えつつあった。麻美は、遥香の目から見て、ひどくみっともなかった。千葉の正道の家までついてきて無断外泊する、というのは遥香には意味不明すぎたが、しかし同時に、その意味不明さが気の毒でもあった。仕事も持っておらず、退屈な主婦で、しかもどうやら元クラスメイトと恋愛をしているつもりになっていて、なのにきっと元同級生は彼女のことなんかなんとも思っていないのだ、ということが、一日ともにいただけで遥香には理解できた。遥香には意味不明の彼女の行動は、きっと彼女自身にも理

解不可能だろうと思えた。門限を破ったことも、学校をさぼったこともないだろう彼女には、その理解不能な行動こそが大冒険であるのだろうと遥香は想像した。

その日、昼過ぎになって、麻美は遥香とともに正道の家を出た。麻美は腫れの引かない目で、遥香にあれこれと訊いてきた。生まれはどこか、住まいはどこか、年齢は、仕事は、正道とどこで知り合ったのか。二十五歳、という年齢と、ダンサー、という職業に、麻美は強く反応した。いいわねえ、と社交辞令にしてはしつこいくらいくりかえした。

駅が見えてくるころ、お茶を飲まないかと麻美が誘ってきた。じつのところ、質問ばかりで、こちらが何か訊き返しても曖昧な返事しかしない彼女との会話はおもしろくなく、お茶を飲んで時間をつぶすのが遥香にはもったいなく思えた。それで、仕事があるから、と断った。断ったことを後悔しそうになるほど麻美はうなだれ、「そうか、そうよね」とつぶやいた。「暇なのなんて、私くらいよね」といじけたことも言った。帰りたくないなあ、と、切符を買う段になってもひとりごちているので、

「帰りたくないんだったら、ぜんぶ放《ほう》り出して、逃げちゃったらどうですか？」と遥香は冗談めかして言ってみた。

「逃げるって、どこへ？」遥香を正面から見つめて麻美は訊いた。

「どこでもいいじゃないですか。成田《なりた》までいって飛行機のチケット買っちゃうとか。そ

れは無理にしても、ここからなら御宿《おんじゆく》や鴨川《かもがわ》とか。箱根《はこね》とか伊豆《いず》でもいいし。二、三日、遊んで帰ればいいじゃないですか」

麻美は腫れぼったい目でじっと遥香を見つめて立ち尽くしていた。考えもしなかったことを聞かされた、そんなようなぽかんとした表情で、なんだか遥香は気まずくなった。本当に自分の言葉を真に受けて、平凡な奥さんらしい麻美が、失踪《しつそう》でもしてしまうような気がしたのだった。しかし遥香が改札に向けて歩き出すと、ちゃんと麻美もついてきた。東京に向かう電車のなかで、麻美は何もしゃべらなかった。向かいの窓から外ばかり見ていた。麻美が気の毒になって遥香は口を開いてみた。

「私、正道さんと知り合うより前のことなんですけど、よく逃げたいなって思ったりしてました。そのころはアルバイトしながらダンスチームに入って公演したりしてたんですけど、先のこと不安だったし、人間関係もうまくいかなかったりで、逃げちゃいたいなって。そういうとき、私よく、成田空港までいったんです。出発ロビーで、天井から吊り下がってる大きな行き先表示、あれを上から読むんです。成田発デリー、エアインディアとか、成田発ロンドン、ブリティッシュ・エアウェイズとか、そういうのずっと読んでると、なんだか旅したような気分になって、それで、ま、いっか、って帰ってこられたんです」麻美は窓の向こうを見たまま、ときどき相づちを打った。「でも、仕事も見つかって、それに今は正道さんがいるから、最近はそういうこと、ないんですけどね」麻美が上の空のようなので、そう言って遥香は話を打ち切ったのだった。

その段田麻美がいなくなった、もう一週間も帰ってきていないらしい、という話を正道から聞いたのは、つい昨夜のことである。麻美の夫から裕美子に連絡があり、裕美子が正道や充留に連絡をして、今日土曜日、正道の家に集まって心当たりを確認しあおうと、急遽《きゆうきよ》決まった。

駅を目指して歩きながら麻美と交わした会話のことは、遥香は正道には言っていなかった。なんだか自分に責任が転嫁されそうでいやだったし、それに、麻美と話したのはもう一カ月も前のことなのだ。あのとき交わした「御宿とか伊豆とか」が、伝えなくてはならない重要なやりとりには思えなかった。

「意外とおいしいじゃない。まともな店もあんのね」

「おまえ、それ、この近所を馬鹿にしてるぞ」

「ここに泊まったわけでしょ、麻美は。澤ノ井が今までとまったく違う生活してるの見て、うらやましくなったんじゃない？　自分にも、べつの生活ができると思いこんだとか」

「でも、それって一カ月も前なんだぜ？　うちきたことと、関係あんのかなあ」

「そりゃあるんじゃないのお。だからさあ、ちょっとはまじめに考えなよ、澤ノ井」

「考えてるけど、おれ、段田さんの交友関係とか、詳しくないし」

「ダンナも心当たりがないって言うのよ。実家にもいないみたいだし、私たちの名前以外、友だちの名前を聞いたことがないって」

出前の中華料理が届くと、三人はがやがやと皿をテーブルに並べ、ワインを開けて食事をはじめた。椅子を譲ると正道が言ったが遥香は断り、ソファで取り分けられた料理を食べている。せわしなく立ったり座ったり、皿を引き寄せたりワインをグラスについだり、その間も休むことなく話し続けている三人と、彼らに交じって黙々と食事をする重春。遥香が思い描く段田麻美は、彼らのなかにうまく加わることができない。段田麻美が彼らと結んだ関係が見えない。きっと彼女は、彼らのなかでしじゅう居心地悪かったのではないかと遥香は思った。

遥香は立ち上がり、ベランダに出た。暖房のきいた室内にいた体には、おもての空気は冷たすぎたが、深呼吸するとすっきりした。星がずいぶんたくさん見えた。どれもくっきりとした輪郭で瞬《また》いている。男もののサンダルをつっかけたままふりむくと、橙《だいだい》色《いろ》の明かりの下、四人が食事をしていた。何やらひどく遠い光景に見えた。

元妻ではなく、彼らを見ている自分に遥香は気がつく。巻き戻された過去の再現を見ているような錯覚を覚える。きっとこんなふうだったのだろう。正道と裕美子の暮らしは、今見ている光景そのものだったのだろう。しょっちゅう友人が訪ねてきて、大切なこともそうでないこともわちゃわちゃと会話しながら、橙色の明かりの下で食事をしていたのだろう。

結婚していたときも今のようであったのならば、彼らが別れたことになんの意味があるんだろうと、遥香は考えはじめる。別れたことによって、正道と裕美子の関係にどんな変化があったというのだろう。

それは嫉妬《しっと》ではなく、まして裕美子への敗北感でもなく、遥香の内に自然にわき上がってきた単なる疑問だった。

充留が重春に何か言い、彼が立ち上がって台所に向かい、正道が中腰になって彼に何かを伝えている。冷蔵庫を開けワインボトルをみんなに見せている重春が見える。充留がうなずき、重春が戻ってきてボトルを正道に渡し、彼は背を丸めコルクを抜く。裕美子が大げさに笑いながらそれぞれの皿を集め、料理を取り分けている。いなくなった友人の行方をさがすというよりは、習慣になっているホームパーティのようだった。

並んで電車の座席に座っていた麻美の姿が思い浮かぶ。自分の話にちいさくうなずきながらじっと窓の外を見ていた麻美。窓から入りこむ陽射《ひさ》しが、麻美の産毛を金色に光らせていた。

正道がふとこちらをふりかえり、立ち上がって歩いてくる。ガラス戸を開け、

「どうした？」とやさしく遥香に話しかける。「疲れた？　ちゃんと食べた？　先に眠るか？」

「麻美さん」遥香は口を開いた。白い息が広がるのが見えた。

うん？　と正道が首を傾《かし》げる。

「麻美さんがどこかにいったのは、あなたたちのせいだと思う」

なんでこんなことを言っているんだろうと思いながら、遥香はそう言っていた。言ってから、私はこの人を傷つけたいんだと遥香は理解した。幼いころの友だちに抱いた肯定と否定を、今、私は恋人にたいして抱いているらしい、と。

「何、それ、どういうこと」

正道が眉間にしわを寄せる。

「ただそう思っただけ。きっとあなたたちを見ていて、逃げたくなったんだと思う」

さむーい、しめてー、と部屋のなかから声が聞こえる。

「とりあえず入ったら」

正道が言い、遥香はサンダルを脱ぎ部屋に上がる。もわっとあたたかい部屋には、にんにくとごま油のにおいが充満している。

「おれたちが麻美の家出に関係してるってこと？」

正道は再度訊き、テーブルの全員が遥香を見る。

「だから、そう思っただけ」叱《しか》られて立たされている子どものように、ガラス戸の前に突っ立って遥香は言った。

「もっとよく説明してよ、わかんないから」

「説明しても、きっとあなたには、あなたたちにはわからないと思う」

テーブルの三人は遠慮がちな顔つきで正道と遥香を交互に見ている。

「おれたち、段田さんに何か言ったっけ？　充留たち、段田さんがきたとき、何か気に障るようなこと言ったか？」

充留と裕美子はちいさな子どものような顔で即座に首をふる。わかるわけがない、と遥香は思う。自分と、自分を取り巻く関係に、なんの隙間《すきま》もなくぴったり寄り添っている人に、そうできない人もいるということがわかるはずはない。この人たちはきっと、元クラスメイトがいなくなった理由をけっしてわからないだろう。もし彼女が見つかって、その理由を逐一説明したとしても。

「私、先にお風呂《ふろ》入って寝るね。みなさん、どうぞゆっくりしていってくださいね」

遥香は笑みを作って恋人の友人たちに言うと、リビングを出て風呂場に向かった。わちゃわちゃと会話する彼らの声が追いかけてくるように聞こえ続けている。

風呂の湯が沸くまでのあいだ、遥香は洗面所の鏡と向き合って化粧を落とした。もし正道と結婚したら——それは遥香の強い希望ではあったのだが——これが日常茶飯事になるのだろうか。何かにつけてあの友人たちがここに集まり、わちゃわちゃと言葉を交わすのだろうか。その関係を毎度見せつけられるのだろうか。私はいつもガラス戸の向こうから、自分が持ち得なかったものを遠く眺めるのだろうか。

遥香は服を脱ぎ湯船に身を浸す。飛行場の、行き先案内板の前に立つ段田麻美が浮かぶ。顎《あご》を上げ、飛行機が向かう先をひとつずつ祈るように読み上げる麻美の姿は、いつしか自分自身に変わっている。

# 二月の決断

裕美子に聞き出した宇田男の住所は、最寄り駅でいうと下北沢《しもきたざわ》だった。下北沢の改札を出た充留は、人の多さに舌打ちをしたくなる。南口の階段を下りるとさらに人の数は多くなり、改札に向かう人と階段を下りてくる人と、ティッシュやチラシを配る人と、なんだただうろつく人々が入り交じっており、それがそろいもそろって若者ばかりで、なんだっつうのよ、と充留は心のなかで毒づいている。なんだっつうのよ、渋谷《しぶや》じゃあるまいし。水の出ない噴水前には、寒空だというのにたくさんの若者がたむろしていた。しゃがんだり、立ったり、とにかくそこに輪を作っているのだった。

そのわきを通りすぎるとき、自分もかつてそのようにしていたことを充留は思い出した。実際、この水の出ない噴水前で、しゃがんだり立ったりして、次にいく店を相談したり、始発電車が走り出すのを待ったり、あるいは何も目的なくただそこにいたりした。十年以上も前のことだ。あのとき自分はどんな心持ちでいたのだろうと、充留はちらりと考える。思い出せなかった。ただそのときも、宇田男のことを考えていたような気がした。

やはり人が連なって歩く細い通りを歩きながら、充留はちらりと背後をふりかえる。あそこにいる男の子や女の子たちも、あと十数年後には、今思っていることをきれいさっぱり忘れてしまうんだろうか。若者に舌打ちをし眉間《みけん》にしわを寄せて下北沢の混雑をすり抜けるのだろうか。そして、そのとき自分が気持ちの全部で好きだった人のことを、ちらりと思い出したりするんだろうか。

茶沢通りを渡ると、喧噪《けんそう》はすっと遠ざかる。曇り空の下、重たい色合いの住宅が広がり、練り歩くような若い人たちの姿は少なくなる。カートを押して歩くおばあさんや、スーパーの袋を提げて歩く女性とすれ違いながら、番地を頼りに充留は住宅街を歩く。宇田男に会ってどうするつもりなんだろう、と町を歩きながら充留は思う。まったくわからないのに足は宇田男のいる場所へと近づきつつある。

一月に失踪《しっそう》した麻美は、まだ夫の待つ家へは戻っていないが、しかし連絡はあった。なんだか実家に戻ってるらしいですよ、と、裕美子に電話をかけてきた麻美の夫は言ったらしい。

麻美の夫の話によれば――裕美子の間接的な報告によれば――いよいよ捜索願を出すかと夫が思いかけたころになって、麻美から電話があった。今実家にいるの、連絡もせずにごめんなさいね、と麻美はいつもと変わらない声で言った。もうしばらくこっちにいてもいい？　と言うので、休暇だと思って了解した、だから心配しなくてもだいじょうぶである、あとはこっちでなんとかするし、毎日電話をくれるように約束したからと、麻美の夫は裕美子に伝えた。

裕美子はその直後、たいそう憤慨して充留に電話をかけてきた。あの夫、松本某《なにがし》、ちょっとおかしいわよ、麻美が家出したくなるのもわかるわよ、心配していた私たちにありがとうでもないし、それはまあいいんだけど、もうだいじょうぶって麻美はまだ帰ってきていないのに解決したみたいなこと言ってるし、ねえ、ふつうもっと心配しない？　動揺したりしない？　いなくなったって連絡くれるのも遅かったし、だいたい休暇だと思って了解したって何さまよ、ああむかつく、と電話口で一気にしゃべった。

たしかにへんな話だ、と充留も思った。裕美子と話し合い、麻美の実家に電話をかけようと話はまとまったのだが、しかしどちらとも、家じゅうをひっかきまわしてさがしても、学生時代の——卒業時に配られた、就職先とともに実家の住所や連絡先ののった——卒業生名簿は見つけられなかった。澤ノ井正道も同様だった。麻美の実家が長野県であることはみな覚えているのだが、しかし連絡先がわからないことにはどうしようもない。夫に連絡を取り、訊《き》いてみようかと裕美子が言ったが、しかしその時点で、なんだかみんなどうでもよくなっている気配だった。

もう、いいんじゃない？　子どもがいなくなったわけでもないんだし。それに毎日ダンナに連絡してくることになったんでしょ。

充留が言うと、正道が賛同した。

夫婦もいろいろだからさあ、あの夫婦にしかわからないこともあるんだろうし。よけいな首を突っ込むより、夫に任せておけばいいんじゃないのかな。

でも……と裕美子は言いかけたが、そうね、と結局言った。そうね、大人なんだから、道に迷うこともないだろうし、帰りたくなれば帰るだろうし、どっかいきたければべつにいけばいいだけの話だもんね。

そのように収束した元同級生会議だったが、そのとき充留はふと思った。正道と裕美子が夫婦だったとき、たとえば裕美子が同じようにいなくなったら正道はどうしただろう、と。自分がいなくなったら重春はどうするだろう、ではなくて、正道と裕美子のことを考えていることが、充留には不思議だった。

三丁目の二十二の……充留は電信柱に書かれた番号とメモ書きを交互に見、「ハイツ緑川」をさがす。細い路地をいったりきたりして、数分後、ハイツ緑川を見つけた。あった、と思うといきなり鼓動が激しくなった。

二階建てのアパートだった。建物の入り口に集合ポストがあり、陽《ひ》のささない細長い通路沿いに玄関のドアが並んでいる。ドアのわきに各戸ごとに洗濯機があった。充留は集合ポストの前に立つ。１０５の番号の下に、「佐山」と書かれた紙切れがセロハンテープで貼《は》りつけてある。文字はかすれ、紙の四隅はすり切れている。あった、と再度思い、それを合図のようにまたもや鼓動は大きくなる。心臓が肥大して体じゅうに広がったようだった。

部屋番号を確認しながら、充留は狭く暗い通路を進む。突き当たりが１０５号室だった。合板のドアのわきに、黒ずんだインターホンがある。充留はゆっくりと深呼吸して、インターホンを押した。

留守かもしれない、と押すやいなや充留は思った。留守であってくれ、と願っていることに気づく。しかし数秒後、ドアはがちゃりと開く。橙色《だいだいいろ》の光のなかに、宇田男が立っている。玄関先に立つ充留を見ても驚くわけでもなく、

「ああ」

と、寝ぼけたような声で言った。「ああ、どした?」と。

入ってすぐ四畳ほどの台所があり、右手にユニットバスのドアがあり、奥に六畳間があり、ガラス戸の向こうは雑草の生い茂った狭い庭がある。庭の向こうには建物があり、部屋のなかも通路と同じく陽がささない。まだ昼過ぎであるのに、白熱灯がついている。充留は畳に座って部屋のなかを点検するように見まわした。カーテンはなく、カーテ

ンレールには幾枚も服がぶら下がっていた。家具らしい家具はなく、壁際にテレビとオーディオセットがあり、反対側の壁には、いくつもの柱のように本が積まれている。ガラス戸の下にはノートパソコンが置いてあって、それはなんだか充留をほっとさせた。

「そんで、なんだっけ」台所で湯を沸かしている宇田男が言う。充留はふりかえって宇田男の後ろ姿を見る。ジーンズにトレーナーを着た宇田男は裸足《はだし》だった。「段田さんがどうしたんだっけ」宇田男がふりむき、意味もなく宇田男の裸足を見つめていた充留はさっと視線を逸《そ》らす。

「だから、麻美がいなくなったんだよ。行方不明。そんで、宇田男は麻美となんだか親しかったんでしょ。何か知ってるんじゃないかと思って」

宇田男はなんにも答えず、あーん、と聞こえる声を漏らす。やかんのしゅんしゅんいう音が大きくなって、消えた。

「インスタントだけど」

両手にマグカップを持って六畳間に入ってきた宇田男は、カップを畳にじかに置き、充留の正面であぐらをかいた。充留はちらりと宇田男を盗み見る。鏡のなかで自分の年齢の変化はわからない。学生時代と何も変わっていないようにも見える。宇田男は、鏡のなかの自分と同じく、学生のころからなんの変化もしていないように充留には思えた。

「何か心当たりはないの？　麻美がいなくなったのは一月なんだけど、何か連絡なかった？　ここに泊まりにきたとか、そういうことはなかったの？」

えーと、一月……きたかなあ、いや、どうかなあ、と宇田男は口のなかでつぶやいていて、その曖昧《あいまい》さに充留は傷つく。きたかどうか思い出せないということは、それ以前にも麻美はここにきたことがあるのだ。私が意を決してしか訪ねてこられなかった場所に、いともたやすくきたのだ、と充留は思う。

「でもおれ、段田さんとべつに親しくないぜ」

ぜ、を疑問形のように発音して宇田男は言い、充留を正面から見る。

「でも、麻美は宇田男とつきあっているって言っていたんだよ。メール交換もしてたじゃないの」

充留は宇田男を見つめ返し意気ごんで言い、言ってから、せりふがおかしいと思った。これじゃあまるで、浮気をなじる恋人じゃないか。

「つきあうって交際するってこと？　だってあの人、人妻じゃなかったっけ」

しれっとして宇田男は言う。

これじゃあまるで、浮気をなじる恋人じゃないか。十五年前と、やっていることも言っていることも何ひとつ変わらないじゃないか。充留は少しばかり恐怖を覚える。あれこれと変化を受け入れ、変化に順応してきたはずの自分の、変わらない部分に対して。

「つまり、麻美はつきあってるつもりだったけど、宇田男はただやっちゃった、くらいの感想しかなかった。それで、麻美が突然いなくなっても、宇田男はなんにも知らないし、宇田男のところにも連絡はきていない。

「やっちゃったって、蒲生、すげえ言いかたすんなあ」

　宇田男は天井を見上げておもしろそうに笑った。「あ」その姿勢のまま笑いを止める。

「きてたっけな、なんか」そう言い、四《よ》つん這《ば》いになって窓際のノートパソコンの電源を入れる。暗い部屋で四角い画面はゆっくりと光を放つ。宇田男が操作するキーボードの音を、充留は心地いいもののように聞きながら、壁際に積まれた本の背表紙に目を走らせる。評論集や詩集や古い小説や映画本のなかに、佐山宇田男という文字をさがす。宇田男がかつて出版した本を見つけたくてそうしたのだが、しかし見あたらなかった。見あたらない、と思ったところで、宇田男が後生大事に自分の本を飾りたてていないことに安堵《あんど》している自分に気づいた。

「あったよ、連絡」

　充留に尻《しり》を向けてパソコンをいじっていた宇田男が言う。

「なんて？」と訊くと、

「ほら」と、受信したメール画面を開いて見せる。充留は膝《ひざ》で移動し、宇田男の隣に正座した。

「出てきちゃいました」という件名のそのメールは、たしかに麻美からだった。

宇田男さま。

私、これから沖縄にいこうと思っています。宇田男がいつか話してくれた、離島を訪ねてみるつもり。あれはなんという島だったかしら？　ほら、干潮時に島の真ん中に道ができるという……。思い出そうとしているのに、思い出せません。

私が思いきって家を出ることができたのは、宇田男のおかげです。今はまだ何も決められないけれど、この私が動き出せたんだから、すごいって思っちゃう。宇田男の、あの言葉が背中を押してくれました。

ねえ宇田男、もしまだ仕事が決まっていないのだったら、沖縄で待ち合わせしませんか。少しゆっくりと島巡りでもしましょうよ。携帯に連絡ください。電話でもメールでもいいです。宇田男と泡盛《あわもり》で酔っぱらって海を見たいです。

段田麻美

送信された日付を見ると、一週間ほど前だった。失踪後約二週間目。

「あったじゃないのよ、連絡」

「だから言ったじゃん、あったって」

「なんですぐ気づかないのよ」

「あんまり重要視してなかった」

「誘ってんじゃん。沖縄で会おうって言ってんじゃん。連絡したの？　いくにしろいかないにしろ、ちゃんと連絡したの？」

「なんで……っつうか、沖縄いく金なんかないし、なんでおれが沖縄いくのよ、いきなり」

「宇田男、麻美に何言ったのよ」

「えー、何が」

「だから、何言ったのよ。ここにあるじゃん。宇田男の、あの言葉が背中を押してくれました」

「わかんねえよ、おれ、背中押してないし」

「思い出しなよ、宇田男はどうでもいいかもしれないけど、その一言で、麻美は家出したわけでしょう」

　充留は宇田男に詰め寄るように言い、そうしてすぐ隣に座る宇田男の顔をまじまじと見た。口のまわりの無精髭《ぶしょうひげ》、頬《ほお》に残るそり残し、乾燥した唇、薄茶色い瞳《ひとみ》、少し脂ぎったような小鼻。至近距離で宇田男を見つめ、自分が宇田男の至近距離にいることに今さらながら驚き、あと数センチ顔を近づけて乾燥した唇をなめまわしたい欲求を抑え、そうして充留は、唐突に自己嫌悪を覚える。麻美と宇田男の関係が、自分の思ったとおりであることを確認したかったのだ、と気づいてしまう。こんなふうに、麻美の勘違いメールを宇田男とともに読みたかったのだ。宇田男はけっして麻美なんか好きにならないと確信したかったのだ。宇田男への子どもじみた恋心なんてもうずっと前に消えたはずであるのに、今、自分が味わっているのはまさに幼い優越感である。

「宇田男、才能って枯渇すんの?」

充留は間近の宇田男から顔を逸らし、発光するパソコン画面をにらみつけながら、言った。

「はあ?」

「いや、突然思いついただけ。宇田男は学生のとき、本も書いたし作詞もできたしイベントも企画してた。でも、今ってなんにもしてないじゃん。それって才能が枯渇したの?」

なんでそんなことを言っているのか充留はわからなかった。はぐらかされるかと思ったが、

「才能とか、おれ、最初からなかったよ」宇田男は膝を抱くようにして座り、やはりパソコン画面を見つめたまま言った。

「でも、売れてたじゃん、本」

「蒲生、あれ知ってる? ちっこい動物がチョコのなかに入ってるやつ」

「チョコエッグ？」

「そうそう、それ。チョコエッグに才能とかってないじゃん。チョコエッグ作る人じゃなくて、チョコエッグ、それ自体にだよ？　あれはあれ自体ではべつになんにもしてないじゃん。でも、あるとき爆発的に売れたよな。あんな感じだと思うよ、おれ」

充留は宇田男の隣で真似《まね》をするように膝を抱え、パソコン画面のなかの、「ねえ宇田男」と書かれた文字を見た。ねえ宇田男。自分が書いた言葉のように思えた。

「じゃあもう、本も書かないしなんにもしないわけ、宇田男は」

充留は訊いた。宇田男は答えない。「今、仕事もしてないの？　どっか就職したり、そういうこともしないわけ？」

「バイトはしてるよ」宇田男は得意げに答える。「警備員とか」

「一生警備員のバイトで終わるの？　三十六歳過ぎたらフリーターなんて言われないんだよ、無職だよ無職。そのまま年とって、何かあって新聞にのったら、佐山宇田男三十六歳無職って書かれるんだよ」

「元作家、とは書いてくれないかなあ」何がおかしいのかにやにやと笑いながら宇田男は言った。

「もうだれも、宇田男が作家だったことなんか覚えてないよ」

「だよなあ」宇田男は軽い調子で言い、ごろりと仰向けに倒れた。「おれ、苦手なんだよなあ、長期的思考。年々苦手になるよ。考えてせいぜい来月の家賃だよな。あーあ、沖縄いくかな。アゴアシつきなんだろうし。段田さん、なんかしんないけど金持ってんだよ。主婦って儲《もう》かんのかなあ。おれ、主婦になりてえなあ」

ただでさえ陽の入らない部屋は、カーテンレールにかけられた服のせいでよけい薄暗く、エアコンがまわっているがしんしんと寒かった。埃《ほこり》がゆっくりと上下していた。どこからか、コマーシャルの音が遠く聞こえた。だめ男とか敗残者とか、宇田男を悪《あ》し様《ざま》にののしる裕美子の声が耳によみがえる。自分が宇田男を好きだったのは、宇田男が学内有名人だったからではないんだと充留は知る。卒業後、十年以上たってそう知ったことに充留は少なからず衝撃を受ける。だからきっと、もう一度生まれ変わっても——いつか自分に向けた問いに充留は答える——私はきっと宇田男に恋をするだろう、宇田男が小説を書かなくとも有名にならなくとも、あるいは彼と関《かか》わることでどれだけ苦々しい気分を味わうか知っていたとしても、きっと二十歳の自分は宇田男に恋をするに違いない。くるりとふりむいて、充留は宇田男に覆い被さる。宇田男は眉毛《まゆげ》を少しあげたが——たぶん驚いたのだろうが——されるがままになっていた。充留が宇田男の口に舌を差し入れてもトレーナーをまくりあげても、されるがままになっていた。やがて「え、するの?」と間抜けな声を出して、充留のセーターの背中にそろそろと手を差し入れた。手のひらが金属のように冷たくて、その手がゆっくりと背中を移動するとき、充留の腕にいっせいに鳥肌がたった。

「え、まじでするの？」と、ブラジャーのホックを外したあとでも、宇田男は寝ぼけたような声で言った。充留はおかしくて少しだけ笑った。


充留は以前にも一度、宇田男の住まいを突然訪ねたことがあった。二十二歳、卒業を間近に控えたころだ。やっぱり紙に書かれた番地を頼りに知らない町を歩いた。あれはたしか東中野だった。番地をさがしあてた充留は、紙切れに書かれた「エスペランサ東中野」が想像以上に立派な建物であることに驚いていた。ほとんど圧倒された。広々としたエントランスにはソファセットが置いてあり、正面のガラスの向こうに日本庭園風の庭が広がっていた。オートロックで部屋番号を押した。心臓が肥大して体じゅうに広がったみたいだと、二十二歳の充留も思った。はい、とスピーカーから宇田男の声がし、蒲生ですけど、と言った声は見事に裏返った。

宇田男と幾度か寝たことはあった。酔っぱらった帰り道、ホテルや充留の下宿で。それでも宇田男は充留の恋人にはならなかった。二人のあいだにある距離は変わらなかった。

二十二歳の充留は、決意をして宇田男のマンションを訪ねたのだった。酔っぱらってなし崩し的に寝てしまうのではなくて、冗談みたいに好意を伝えるのではなくて、昼日なか、しらふで自分の気持ちを伝えようと充留は思っていた。卒業前にそうしようという、二十二歳らしい決意だった。

ともあれその日宇田男は家にいて、オートロックの扉は充留の前で静かに開いた。オートロックの扉を、そのとき充留はまるで希望のようだと思った。自分の前で道を示す希望のようだと。

しかし宇田男のマンションの帰りには、そんなことは思わなかった。自分の背後で勝手に閉まり、もう二度と開かない扉を恨めしくふりかえり、なんだか自分がチューインガムの残骸《ざんがい》になったような気がした。すっかり味が失われ、ぺっと吐き出されるガム。宇田男の部屋で過ごした三時間ほどを、その後充留はずいぶん長く後悔する羽目になる。

宇田男はドラマに出てくるような（と充留には見えた）２ＬＤＫに住んでいた。七階の部屋の窓からは新宿副都心が絵画のように見えた。壁一面がガラス戸になっており、その向こうには充留の住むアパートより広そうなルーフバルコニーが広がっていた。リビングにはほとんど家具がなく、二十九インチのテレビとやけに重々しいオーディオセットが床に置かれ、本とレコードとＣＤが、壁を這う植物みたいに積み上げられていた。勧められるままビールを飲み、充留は言おうと思っていたことを言った。

私は宇田男のことが好きみたい。きっとあとどうぶんは好きでいる。今までちゃんと言ったことがなかったから、ちゃんと言おうと思って、今日、きた。

なんと言うかはずっと前から考えてあった。つきあってとかほかの人とかんたんに寝ないでとか、そういう、宇田男に負担を感じさせるようなことは言わないようにしようと熟考した。前の晩は布団のなかで幾度も練習した。私は宇田男のことが好きみたい。私は宇田男のことが――。

声が裏返らないように充留は慎重に言い、慎重にしすぎたせいで、脅しつけるような野太い声になった。

そういえばさあ。フローリングの床に寝転がって、おもしろそうに宇田男は言った。ついこないだのテレビで、お笑いの人が絶対に断られない愛の告白っていうのを教えてたよ。勝手に好きでいてもいいですか、って言うんだって。それなら言われたほうは断ることができないじゃん？　イエスノーの答えを求められているわけではないからさ。なるほどねえ、って思ったよ。どうぞご自由に、って言うしかないもんね。

充留は指の先まで赤くなっていくような気がした。この人はぜんぶ知っているんだ、と思った。私は宇田男に負担をかけない言葉をさがしたのではない、断られることのない、自分が傷つけられることのない言葉をさがしたのだ、宇田男が言うように。

立ち上がり、フローリングをぺたぺたと歩いて宇田男はキッチンへいき、新しい缶ビールを二本床に置くと、窓を開け放った。生ぬるいような、芯《しん》の部分が冷たいような中途半端な風が入りこんだ。しゃがみこみ、充留と自分のグラスにビールをそそぎながら、宇田男は言った。

あのさ。自分はこうしよう、っていうことと、相手にこうしてもらいたい、ってのは、似てるようでぜんぜん違うよ。おなか空いたからなんか食べたい、って思ったら、なんか食べることができるけど、おなか空いたからごはんを用意してもらいたい、だと、いつまでたっても腹は減ったまんまだよ。みんながみんな、ごはんを作ってくれるとはかぎらないからね。

子どもに諭《さと》すようなやさしい口調だった。充留はビールをそそぐ宇田男を見た。自分の卑しさを思い知らされた気分だった。卒業前に自分の気持ちを伝えよう、ではなく、卒業前に自分の気持ちの解決を宇田男につけてもらおう、というのが自分の本心であると、よりによって宇田男に思い知らされるなんて。なんて意地の悪い男だろうと充留は思った。

そりゃあすみませんでした。充留は言って立ち上がった。そんじゃ、帰ります。そう言うと、ビール、ついだばっかだから飲んでいけば？と宇田男は言い、充留に断ることはできず、結局また座りこんでビールを飲んだ。ときどき電車の音が聞こえた。水のなかで聞いているみたいだと充留は思った。

床に置いた缶ビールが空くと、またもや宇田男は立ち上がり、キッチンに向かった。

両手に一缶ずつ持って戻ってきて、充留のそばにしゃがみこみ、いかにもついで、というふうに充留に顔を寄せくちびるに舌を差し入れた。両手にビールを持ったまま、ずいぶん長いこと充留の口のなかを舌でかきまわしていた。それから、する？　と訊いた。そう訊かれて、充留は猛烈に性交をしたがっている自分に気づかされた。なんて意地悪な男なんだろう。しない、と充留は答えた。あそこですると気持ちがいいんだけどなあ。宇田男はルーフバルコニーを見遣って言った。マットレス持ち出して、マッパでやるんだよ、高い建物ないから、見えないしね、すげえ健康的な気分になれるよ、すこやかっていうかね。おもしろそうに言って、グラスを並べてビールを注いだ。

ついさっき突き放されるようなことを言われたばかりなのに、宇田男の言葉はいちいち魅惑的に響いた。もう一度、する？　と訊かれたら、する、と答えようと充留はひそかに思い、しかし宇田男はそれっきり同じ問いはせず、寝転がったまま床をごろごろ移動して音楽をかけた。流れてきたのはイギー・ポップだった。

猛烈にやりたいと思ったことも、あと一回誘われたら受けようと思っていることも、ルーフバルコニーで性交することをのちのち想像するだろうことも、すべて知られている気がして、充留は不愉快だった。

そんじゃ、帰ります。つがれたビールを半分も飲まずに充留が立ち上がると、今度は宇田男は止めなかった。オーディオの前でぐったりと動かないので、無視されたのかとちらりと見ると、眠っていた。ずいぶん馬鹿《ばか》にしているんだな、と充留はやけに冷静に納得した。

吐き出されたチューインガムのような惨めな気持ちで、充留はオートロックの扉をくぐり、走るような足取りで駅へ向かった。ちゃんとした大人になろうと、なぜかそんなことを充留はくりかえすように思っていた。自分がこうしようと思うことと、相手にしてほしいことを混同しないような大人になろう。ごはんを作ってもらわなくても、ひとりで食べたいものを食べる大人になろう。そしていつか、いつか遠い未来に、宇田男に絶対馬鹿にされない大人になろう。宇田男に一目置かれるような存在になろう。くりかえしくりかえし思いながら充留は神田川《かんだがわ》沿いの歩道を歩いた。その決意をくりかえしていないと、その場にしゃがみこみ空を仰いで泣き出してしまいそうだった。

あのころと比べたら、たとえばわかりやすく住まいひとつとっても、今の宇田男は落ちぶれている、と充留は思う。学生が住むようなアパート、埃くさい部屋。自分がチョコエッグ程度だと知っている、将来の展望を持たない男。アゴアシつきなら好きでもない女と平気で旅行のできる人。日の暮れはじめた下北沢の町を、あのときと同じように充留は足早に歩いている。若いカップルとぶつかって舌打ちをされるが、かまわず足を前に進める。石焼き芋ののんきな呼び声が、追いかけるようについてくる。

　宇田男はなんにも変わっていなかった、と充留は実感する。卒業してから今まで、正確に彼が何をしていたのかは知らないが、どんな経験も時間の経過も、宇田男を変えることはできなかったらしい。宇田男はあいかわらず関係の作れない男だった。自分がこうしたい、と、相手にこうしてほしいは違う、と十三年前宇田男は言った。二十二歳の充留は、それで何か目の覚めるような思いを味わったが、しかし今ならばわかる。私たちはみな、自分がこうしたい、と、相手にこうしてほしい、を混同させながら生きているんだ。それが関係というものなんだ。宇田男はそれがどうしてもできない。人の荷物を一グラムたりとも持ちたくないし、自分の荷物の内訳を人にはけっして見せることをしない。いや、できないんだ。充留は思う。変わってない、なんにも変わってない。私もまた変わっていない。

　そそくさと服を着ていると、ごはん食べる？　と宇田男は訊いた。食べない、と充留は反射的に答えた。このまま夕ごはんなどいっしょに食べにいったら、もう帰れないような気がした。またここに帰ってきて、また畳の上で性交をして、朝になってモーニングを食べにいき、帰ってきてまた。永遠に続きそうだった。永遠に続くことを望んでしまいそうだった。

　少しいったところに、すげえいい居酒屋があるんだけどな。ホッピーもあるし魔王もあって、カワハギの刺身が絶品なんだよな。ちょっと高いから、おごってもらおうと思ったんだけどな。宇田男はそう言って笑い、充留はまるでデジャヴだと気がついた。宇田男の発する一言一言が、するかと訊かれたあのときのように魅惑的に響き、そうしてあともう一回誘われたら飲みにいってしまおう、と充留は思っていた。二十二歳のときのように。やはりあのときと同じく、宇田男はくりかえし誘うことはなくて、帰ると言った充留を引き留めることもしなかった。

薄くて軽い玄関のドアを閉め、さっきよりさらに暗くなった通路を歩き、そうして充留は理解する。

自分が今まで何を目指してきたか。興味のないことでも食いつくようにしてコラムを書き、求められるまま毒舌をまき散らして、中古マンションを買いローンを繰り上げ返済し、ノンフィクションを本気で書こうと決意し、海のそばの別荘購入まで考えた。それは正道や裕美子やかつての同級生たちに、そうしている自分を見せたいからだと思っていた。そうではない、彼らに、ではなく、ただひとり宇田男に見せたかったのだ。裕美子の言葉を借りるならば、成功している自分を、本気で何かに取り組んでいる自分を、ちゃんとした大人になった自分を、私はずっと宇田男にだけ見ていてほしかった。泣かないように歩いた神田川沿いと、今歩いている下北の町と、なんにも変わっていない。宇田男に馬鹿にされない大人になりたいと、あのときから私は願い続け、そうして今も同じ強さで願っている。充留はそのことに気づいてしまう。きっと、ノーベル賞をもらっても億万長者になっても、宇宙旅行をしても女性初の総理大臣になっても、私は同じことを思うのだろう。宇田男に馬鹿にされない大人になりたい。

　体の一部、どっかまだ学生だったころのままだ、と言った重春の声が、いきなり思い出される。充留はその場に立ち止まる。後ろを歩いていた若い女が、迷惑げに充留を追い越して歩いていく。道の両側に並ぶ店は看板に明かりをともし、見上げれば頭上はすでに紺色で、画鋲《がびょう》みたいな星がひとつ光っている。

　私はいつ大人になるんだろう。充留はゆるゆると歩き出しながら思う。

　駅が見えてくる。あいかわらず若者たちが水の出ない噴水のまわりにたむろしている。携帯電話を取り出し、アドレス帳で番号を呼び出しながら充留は彼らの前を通りすぎる。

　んあ、と聞こえる声で重春が電話に出る。

「今から帰るけど、どっかでごはん食べない」

「ああ、いいけど、今どこ？」

「下北。これから電車に乗る。近くまでいったらまた電話するから、パスタ茹《ゆ》でないで」

　重春が何か言うが、騒音にかき消される。えっ、何？　充留は片耳に手を当て、片耳に携帯電話を押しつける。

「いや、今日、誕生日でしょ、だから新宿まで出ようか？」

重春にそう言われ、充留はたしかに今日が自分の誕生日であることを思い出す。すっかり忘れていた。いや本当は、無意識で知っていたのだろうか。宇田男のアパートを訪ねる日を今日にしたのは、だからだったんだろうか。

「なんか豪勢なもん食べる？　おれ、今日金あるし」

聞こえないと思っているらしく、怒鳴るように重春が言う。

「ねえ、あのさ」

改札へ続く階段にたどり着いた充留は、避難するように隅に移動し、階段を上り下りする人の群に目を向けながら、言った。「結婚しようか、私たち」言ってから、あらまあ、と充留は思った。あらまあ、そんなことで大人になれると思っていたんだ、私ったら、と。

「はいい？」語尾を変なふうにのばして重春は言い、「こみいった話はあとで」と言い、「新宿着いたら電話する」と、さっさと電話を切ってしまった。

通話の終わった携帯電話を数秒見つめ、充留は階段を上がりはじめる。改札に近づくにつれて、自分の言ったことに動揺していた。結婚しようかなんて言っちゃったよ。重春は本気にするだろうか。結婚なんて、するんだろうか私たち。

動揺する一方で、しかし充留は、そう言った自分の気持ちもよく理解していた。そろそろ出ていかなければいけないような気は、うすうすしていた。それは今日決定的になった。いつまでもここにいるわけにはいかない。二十二歳の場所に居続けるわけにはいかない。結婚なんてしたくもなかったし、ほとんど無職の重春との結婚で、何かすばらしい未来が展開するとは微塵《みじん》も思わないけれど、でも、そんなふうな、今まで自分が一度もしたことがないこと、したいと願ったこともないことをはじめないと、今いる場所から出ていくことは難しいように充留には思えた。

そんな理由で私は結婚するんだろうか。人の群とともに改札を抜け、ホームへと下る。それじゃあなんだか重春を利用するみたいだな。電車がすべりこんできて、充留はほかの乗客とともに乗りこむ。車両は混《こ》んでいて、熱気を感じるほど暖房が強かった。重春はなんとなくそれをわかって断るかもしれない。でも、断らなかったら？　電車は走り出し、充留は手をのばして吊革《つりかわ》をつかむ。断らなかったら話はきっと進んでしまうだろう。夢とか期待とか、そういうものとはまったく異なる、どちらかといえばネガティブな理由で、ものごとははじまっていくのだろう。

そうして私もいつかの未来、麻美みたいに宇田男と再会し、宇田男にとってはなんの意味もない言葉で背中を押され、ふらりと家を出ていくのだろうか。

まさか。充留はあわててうち消す。まさか。そうならないために、ここから出ていこうとしているんじゃないか。

乗客のあいだから見える窓の外で空は、どんどん紺色の濃度を増していく。遠く新宿の副都心が見えてくる。光の塔のようなビル群。かつての宇田男のマンションから見えたビル群にそれを重ねたとき、バッグのなかで携帯電話が短く鳴った。片手で取り出し携帯電話を開けると、重春からメールがきていた。

いいかもしんない結婚。

文面はそれだけだった。充留は見てはいけないものを見たかのようにあわてて携帯電話を閉じ、それを握りしめたままゆっくり近づく新宿のビル群に目を凝らす。

# 三月の回想

裕美子は陳列棚の合間から、矢部隆一《やべりゅういち》を盗み見る。試聴コーナーでヘッドホンを耳にあて、宙を見つめて隆一は立っている。紺色のPコートにジーンズをはいた隆一は、女の子がふりかえるほどかっこよくはないが、しかしかっこ悪いわけではない。なかなかいけている、と裕美子は確認する。その、なかなかいけている隆一と、抱き合いキスすることを想像してみる。服を脱いで抱き合うことを想像する。思いの外うまく想像できた。案外かんたんなことに思えた。よし、だいじょうぶかもしれない。CD店の柱の陰で裕美子がひとりうなずいたとき、隆一が呼ばれたかのようにふりかえった。目が合うと、隆一はにっと唇を横に広げて笑う。裕美子もぎくしゃくと笑顔を作る。もう少しで終わる、と隆一は仕草で示し、裕美子は小刻みにうなずいて、近くの棚からCDを一枚抜き取り、眺めているふりをする。

隆一は、二度目にデートした男だった。編集プロダクション勤務の二十九歳、いや、先週三十歳になったと言っていた。

次のデートの約束に煮え切らない態度ばかり返していたら、ほかの男たちと同じようにいったんは連絡をよこさなくなった。しかし先月、裕美子の働く輸入雑貨店でアルバイトをしている波田智子《はだともこ》が、矢部さん、坂下さんに会いたがってるらしいですよぅ、と教えてくれた。隆一に会った合コンは、彼女が企画したものだった。たしか、智子の以前のアルバイト仲間が編集プロダクションに就職をし、その二人が中心になって行われた合コンだった。

自分に会いたがっていると聞いてから二日後、裕美子は携帯電話から彼の電話番号をさがしだし、思い切って連絡してみたのだった。その次の次の次、がまったく想像できなかった男に、なぜ連絡をしたかといえば、裕美子自身認めたくないことではあるが、充留の結婚話に影響されたとしか言いようがない。

どうやら結婚することになってしまった、という電話を充留からもらったのは、二月の終わりだった。おめでとう、よかったじゃない、と裕美子が言うと、めでたいのかなんなのか、と充留はふさぎこんだような声を出した。照れているのかと思ったが、そうでもないらしかった。早くもマリッジブルーなわけ？　とからかうように言うと、そんなんじゃない、とやはり沈んだ声で答えた。

電話を切ったあと、ワインを飲みながら借りてきたＤＶＤを再生し、しかし流れ出した映画を見ることもなく、裕美子は充留の沈んだ声の理由はなんだろうと考えた。宇田男や麻美が関係あるのか、それともあの無口な恋人とのあいだで何かあったのか、などと考えていたのだが、気がつけば、考えている内容は自分のことになっていた。

二年もすれば合コンの誘いもこなくなるといつか充留は言っていた。それでいいのだとも思っていた。けれど裕美子は、すでにそういうことに飽きはじめていた。初対面の人とのあたりさわりのない会話。炭酸の泡のようにあふれるが、すぐに気が抜けてしまう笑い。デートの誘いと、何も作り上げない関係。食事をおごってもらったり、車のドアを開けてもらうことは最初のうちは新鮮だったが、幾度もくりかえしてみるとなんだか馬鹿馬鹿《ばかばか》しくなってくる。彼らが、ではなく、そんなことに心をときめかせている自分が。そんなこと、ちっとも重要じゃないのに。

私はこのままなのかな。ソファにだらしなく寝そべって、画面を見つめ裕美子は考えた。だれとも関係を作れないまま、四十歳になって五十歳になって、たったひとりで死んでいくのかな。私は永遠に、澤ノ井正道の元妻、という立場なのかな。そんなことを考えると、ざわざわと不安になった。いや、そのざわついた気分が、不安であるのか、それとも焦りであるのか、裕美子にはわからなかった。

映画のエンドロールを眺めていた裕美子は、がばりと起き上がり携帯電話のアドレス帳を開いた。ほとんど一本飲んでしまったワインでちょうどよく酔っぱらっていた。坂下さんに会いたがってるらしいですよぅ、という智子の声を思い出しながら、矢部の名前をさがしあてた。電話をかけるのなら今しかないような気がした。酔いがさめてしまえば、そんな勇気はわいてこない気がした。それで電話をかけた。車のドアを開けてくれた三十一歳でも、ディズニーランドに誘ってくれた二十五歳でも、あるいは名字と番号だけ登録されているその他の男たちでもかまわなかったのだが、しかし、自分に会いたがっているらしいのは矢部隆一だけだった。それだけの理由なのに、呼び出し音を聞いていたら胸の鼓動が速まった。はじめて澤ノ井正道に電話をかけた十代のころと、まったく同じように。

「ごめんごめん、待たせちゃったよね」

ＣＤ店の黄色い袋を手に持って隆一が裕美子の元にくる。

「これからどうしようか」

間を持たせるためだけに眺めていたＣＤを棚に戻し、裕美子は隆一に向かって笑いかける。隆一はちらりと腕時計に視線を落とし、

「少し早いけどめしでも食う？　鶏肉《とりにく》のさ、すごいうまい店があるんだけど、坂下さん、鶏、平気？」

出口に向かって歩きながら言う。平気平気、ぜんぜん平気。答えた自分の声が、ずいぶん陽気な響きで耳に届く。

エスカレーターに乗った隆一は、袋を引きちぎり買ったばかりのCDを眺めている。裕美子は彼の一段後ろに立って手元をのぞきこんだ。三枚あるCDは、みなどれもおどろおどろしいジャケットだった。白いマスクをした男が血で濡《ぬ》れたナイフを持って立っているものとか。骸骨《がいこつ》がにたにた笑いでスポーツカーを運転しているものとか。確認するように隆一はCDを眺め、そそくさと袋に戻した。

隆一の言う「鶏肉のうまい店」は、代々木から少し歩いたところにあった。焼き鳥屋だろうと裕美子は思っていたのだが、照明の暗い今風の洒落《しゃれ》た店で、鶏の蒸し煮だの、鶏皮の和《あ》えものだの、鶏の炊きこみ飯だの、焼き鳥よりは少しばかり手のこんだ料理名がメニュウには並んでいた。

カウンターにつまみを並べ、ビールから日本酒に切り替えて、気がつけば裕美子は、今のところ名前と職種と年齢しか知らない男を相手に、麻美の失踪《しっそう》の顚末《てんまつ》をことこまかに語っていた。

一月に突然いなくなった麻美は、依然として夫の待つ家に帰らず、しかしつい先だって、離婚届を送ってきたらしかった。麻美からもその夫からも連絡がないので、どうなったか気になって夫に電話をかけたところ、いつもの無表情な声で、「沖縄から離婚届が送られてきた」と彼は言った。麻美はどこにいるのか、どうなっているのか、何かあったのかと訊《き》いてみても、夫は「連絡は取り合っているので心配はいらない」と言うばかりで、そのほかのことはなんにもわからなかった。

そのようなことを一から説明していると、隣に座った隆一は、

「そういう小説みたいなことって本当にあるんだなあ」と、感心したような声で言う。

「そうじゃないんだってば。小説みたいなことがあるんじゃなくて、小説みたいなことをしたくて、そういうことをしていると思うわけよ。あなたはさ、麻美がどうしようもないような恋をしてそんなことになったと思ってるでしょ？　そうじゃないの、そうじゃなくて、馬鹿な男にたぶらかされてるだけなの」いったい何を必死になっているんだろうと、頭の隅で思いながら裕美子はしゃべった。

「たぶらかされるって、なんていうか、なつかしいような言葉だな」隆一は笑い、さらに裕美子はムキになって話し続ける。

「それがね、たぶらかされるの主体がさ、麻美なの。だめ男のほうはたぶらかしてるつもりもないの、ちょっとやっちゃった、くらいの話なわけ。だけど女のほうがたぶらかされたくてむんむんしてるから、たぶらかされたつもりになってるの。あのね、ふつうに毎日を過ごすことがここだとするじゃない」裕美子はカウンターに手のひらを置いてみせる。「好きだとか、嫌いだとか、そういうのはふつうここで、行われてるでしょ。あなたが言うような小説みたいな恋というのがあったとしても、それはここで、生活のなかで行われるの。でもここにとはべつに、夢のような世界がここにあるとするじゃな

い」もう片方の手を、目の高さにあげて裕美子は隆一を見る。「芸能人になった自分を想像したりするときはさ、つまりこの世界を思い描くわけよね。それで麻美が今いるのは、こっちの、夢のような世界なの。だから言うことにもやることにも全部、なんかこう、現実味がないのよね。離婚っていったって私がしたこととはまったく違うことを指して離婚と言ってるんだと思うのよ、麻美は」

言いながら、じつは自分でも何が言いたいのかよくわからなくなってきたのだが、とりあえず裕美子は続けた。

「え、離婚歴あり？」

隆一が目を丸くして裕美子を見、話の腰を折られたようで裕美子はむっとした。これだけ必死に説明しても、隣に座る男は麻美の麻美っぽさも、宇田男の宇田男っぽさも、一ミリたりともわかってくれないのだと思うとがっかりした。

「いやべつに、そういうのどうこうって、おれ、ないから」

いきなり黙りこんだ裕美子に、あわてて隆一は言い、空いている裕美子のお猪口《ちょこ》に酒を満たした。裕美子はそれに口をつけながら、麻美のことも宇田男のことも、もう何も言わなかった。彼らのことを口にしないと、しかしほかに話したいことは何もなく、ただ黙って酒を飲み、冷えかけた料理をつまんだ。隆一は、突然無口になった裕美子を気づかって、明るく話し続けた。中学時代の話を彼はしていた。中学時代、電車や通学路で見ず知らずの人の背中に唾《つば》をはきかけるという「度胸試しゲーム」がはやって、運悪く中年サラリーマンに自分だけがとらえられ警察に突き出された、というような話を隆一はして、笑い転げていた。裕美子もいっしょになって笑ったが、なぜ彼が中学時代のことを克明に覚えているのか、そんなことが不思議に感じられた。

会計は隆一が持った。

「次はじゃあ、私がおごるね」いったい次はあるのだろうかと思いつつ裕美子は言った。

「おれ、本当に、離婚歴ありとかそういうの、ぜんぜん気にしないから」

駅に向かって夜道を歩きながら、ぼそりと隆一は言った。

「え？」何を言われたのかわからず裕美子は立ち止まり、「あ、ああ、ああ、どうも」さっきの話題を思い出しあわてて返答した。それを聞いて隆一はおもしろそうに笑った。笑いながらごく自然な仕草で裕美子の手を握った。

裕美子は波田智子とレジの内側に並んで立ち、足元に置いた段ボール箱から小ぶりのグラスを次々と出しては磨いていく。ペーパータオルを巻きつけた竹串《たけぐし》で、微細なカットの隅々まで拭《ふ》いていくので、グラス自体はちいさいのに時間がかかる。オールドバカラなんだから、丁重に扱ってよね、と店長の公枝《きみえ》は言っていたが、裕美子にはオールドもニューもバカラもスーパーの特売品も区別がつかない。そもそも学ぶという姿勢がない。ていねいに磨けと言われればていねいに扱うし、何も言われなければ取り扱いにあまり神経を使わない。しかし、くもったグラスがゆっくりと透明度を増していくのは見ていて気持ちがいい。磨き終えたグラスは、店の薄紙に丁重に包んでまた箱に戻していく。

「今日、坂下さん、なんかいいにおいがする」

グラスを磨きながら智子が言う。「デートですか？　うまくいってるんだ？」

裕美子は手を休めず、えへへ、と笑い、まあね、と答えて店内の時計を見上げる。店内の壁にはいくつも柱時計がかかっているが、時刻が正確なのは出入り口の上に取り付けられたひとつだけだ。五時十五分。あと四十五分、と裕美子は思う。

フリルのついた服を着た中年女性が入ってきて、広くはない店内をしげしげと見てまわったあと、何も買わずに会釈だけして出ていく。ポニーテイルにした女の子が入ってきて、スペインの絵皿を一枚買っていく。五時半を過ぎて、遅番のアルバイトである金《かな》沢《ざわ》真《ま》知《ち》がやってきて、おみやげだと言ってたい焼きを差し入れする。客のこないのを見計らって、裕美子と智子はそれを頰《ほお》ばる。六時五分前、裕美子は二人に挨拶《あいさつ》をしてトイレにこもる。歯にあんこがついていないか、口を大きく広げて鏡に映し点検する。デートだって、坂下さん。いいなあ、また合コン企画してよ。会話する智子と真知の声が聞こえてくる。パウダーをはたき口紅を塗りなおし、裕美子はトイレを出、「お疲れさまー」とレジ裏にいる二人に声をかける。

「お疲れさまでしたあ」声をそろえる彼女たちに手をふって、暗くなったおもてに裕美子は飛び出していく。

待ち合わせは新宿の居酒屋だった。どうせだったらおいしいものを食べようと、大久保のタイ料理屋だとか、代々木のイタリア料理だとかを提案してみたのだが、「そういうんじゃないしさ」と言われ、勝手に決められたフランチャイズの居酒屋に文句を言わなかった。たしかに、これからすることになる話し合いにおいしいものは似合わない。

居酒屋には、正道と、麻美がくることになっていた。

沖縄にいるはずの麻美から、正道にメールがきたのは四日前、火曜日のことだった。メールには、東京に戻っていること、離婚するつもりであること、ウィークリーマンションに泊まりながら部屋をさがしていることなどが書かれてあり、それを読んだ正道はあわてて裕美子に連絡してきた。メールにはそれしか書かれてないんだけど、なんだか会って話を聞いたほうがよくないかな、と正道は言い、三人で会うことを決めた。

麻美が離婚しようがしまいが、なんだかどうだっていいような気分になっていたのだが、しかし「会って話を聞いたほうがいい」と言う正道の、公平さというか誠実さというか、そうしたものを裕美子は尊重したかった。

雑居ビルの五階にある居酒屋の入り口で、インカムマイクをつけた店員に正道の名を告げる。薄暗い廊下を歩き、個室に通された。こちらです、と言われ個室の襖《ふすま》を開けると、正道がひとりで座っていた。

どきりとした。どきりとしたそのことを、裕美子は悟られないように、

「麻美、まだなんだ」

わざとぶっきらぼうに言ってあたふたとコートを脱ぎ、正道の向かいに座り、メニュウを広げた。

「そろそろくると思うよ。ビール、飲んじゃおうか」

「そうね、料理も頼んじゃおう」

正道と顔を合わせずに裕美子は言い、テーブルの隅にある灰皿のような丸いスイッチを押す。店員がやってきて、正道が注文をする。

正道を見たとき、裕美子はほっとしたのだった。ほっとしている自分に、どきりとしたのだった。

鶏料理の店を出たあと、隆一は至極自然に裕美子を自分の住まいに誘った。裕美子も断らなかった。隆一の住むマンションは笹塚《ささづか》にあった。高速道路のすぐわきだった。隆一の部屋でワインを飲み、チーズをかじり、騒々しい音楽を聴き、そうして隆一がやっぱり自然な仕草で裕美子を抱きしめたとき、充分心の準備をしていたはずなのに、「あっ」と裕美子は不自然に声を発し、隆一の腕をくぐり抜けるようにして体を離した。

「いけないっ、猫に餌《えさ》やるの、忘れてた」裕美子はそんなことを言っている自分の声を、呆《あき》れて聞いていた。「遅くなると思わなかったから、餌を出して置くのを忘れてた。あの子おなかが空くと、ものすごい声で鳴いて、近所迷惑なの、帰らなきゃ」言いながらコートを着て靴をはき、「ごめん、ごめんなさい、今度、今度また」そんな挨拶をして、ぺこりとひとつ頭を下げた。駅まで送っていこうか。隆一は、これまた自然にそんなことを言ったのだが、それも断ってマンションの階段を駆け下りた。

猫などいない自分の部屋のドアを開け、裕美子は大きくため息をついた。逃げ帰ってきた、と思った。すごすご逃げ帰ってきた。どうして逃げ帰ってきたのか。そういうこともあるだろうと、真新しい下着を身につけていた。準備は万端だった。自分の行動が意味不明で、情けなかった。

あれ以来隆一から連絡はなく、なぜ逃げ帰ったのかと、今日までずっと自分を責めていた。そうして正道を見たとき、裕美子はあの夜の不可解な行動を理解した。こわかったのだ。知らない男と真っ裸で抱き合うことが、こわかった。

「乾杯、ってのもへんだけど」

「でもまあ、とりあえず」

さして意味のないことを言い、裕美子は正道のジョッキにジョッキをぶつけ、ビールに口をつける。

「そういえば、聞いた？　充留、結婚するって」

「え、ついにするんだ、あの……」

「そう、あの……」裕美子はそう言って笑い転げた。「あの、ほら、私たちが名前をいっこうに覚えられない男の子と」

「へええ、あいつ、おれたちが離婚するとき、結婚なんか意味ないわね、とかなんとか、言ってたくせにな」

「気がかわるような何かがあったのよ、きっと。私が思うに、今回のことと関係があるような気がする」

「今回のことって？」

「宇田男と麻美のこととか、麻美の失踪とか」

「どんな関係？」

「そこまではわかんないけど」

　襖が開き、裕美子はふりむくが、あらわれたのは麻美ではなく料理を持った店員だった。春巻やサイコロステーキや、海老《えび》のチリソース炒《いた》めや水餃子《すいギョーザ》がテーブルに並べられる。

「なんかずいぶんと節操のないメニュウね、しかもぜんぶ脂っこいんですけど」

　店員が去ってから裕美子は口を開き、正道の恋人が精進料理のような献立ばかり作ることを思い出した。そして、なぜ自分がそんなことを知っているのか不思議に思う。だれに聞いたのだったっけ。充留か、正道本人か。思い出せない。

「ま、いいけどさ」裕美子は言って料理を食べはじめる。「それにしても、麻美、遅いね」

隣室から弾《はじ》けるような笑い声が聞こえてくる。正道は腕時計をちらりと見て、割《わ》り箸《ばし》を割る。

「うまい？」と訊きながら箸をのばしている。

「うまいわけないわよ、こういう店は」

「そう言うわりにずいぶんと食ってるじゃん」

「だっておなか空いちゃって」裕美子は言い、はたと言葉を切る。なめらかに進む会話に警戒心が起きる。安心してはいけない、と自分に言い聞かせる。この男に安心してはいけない。ほかの男がもっとこわくなるだけだから。「でもさ、麻美がきたらいったい何をどう話すわけ？」話題を変えてみる。

「いやあ、考えなおしたほうがいい、って言うつもりだったけど。まあ、よその夫婦のことはよくわかんないけどさ、今回のは、なんていうか、あれだろ、宇田男が絡んでるだろ。段田さん、なんかちょっと、舞い上がってるっていうか、足が地に着いてないようなところ、あると思うんだよ。どうしても離婚したいならしたいでしょうがないんだけどさ、するなら宇田男のことを切り離して考えたほうがいいと思うわけ」

正道は考え考え言葉をつないだ。裕美子は、つるつるした水餃子をなかなか箸でつかめないでいる正道の手を見つめて、彼の声を聞いた。

「でも、私たちが宇田男のことを切り離せって言って、麻美、はいわかりましたって納得するかな」

「しないかもしんないけど、ああそうですかって傍観してるよりはいいだろ。宇田男が段田さんにちょっかい出したの、充留によればおれたちの離婚パーティのときなんだろ？　なんていうか、責任感じるじゃん」

「責任ね」

正道はようやく水餃子をつかみ、口に運ぶ。裕美子は彼の手から目をそらし、やけに甘ったるい海老を食べる。

「やり残し症候群だと思うんだけど」

裕美子が言うと、正道は顔を上げた。裕美子は話しはじめる。

「青春をがつがつ取り戻してるって感じ、って充留が言ってたの。それ、ほんとだなあと思うわけよ。麻美、地味だったでしょ？　すぐ結婚しちゃったし。なんかこう、テレビドラマで見るような恋愛をしたいって思ったんだと思うのよね。それで宇田男は昔の栄光症候群。自分がいちばんもてて時代に戻りたいんだと思う。結局、宇田男は麻美なんか見ちゃいないし、麻美も本当には宇田男なんか好きじゃないと思う。ただ、二人の現実離れした願望がぴたりと合致したってだけの話」

同意を求めるために正道に目をやると、正道は薄く口を開けて裕美子を見つめている。宇田男や麻美の評価が低すぎると、また喧嘩《けんか》を売られるのだろうかと裕美子は一瞬身構えたが、しかし正道は、

「やり残し症候群とか昔の栄光症候群とか、そんな言葉ってあるの？」とまじめな声で訊いた。

「ないよ。作ったんだもん」

「なんだ、作ったんだ」

正道は神妙な顔でうなずき、裕美子は笑い出す。正道も笑う。「作ったのかよ」

「だからそうだよ。ナントカ症候群って、すぐ言うでしょ」

「いや、うまいこと言うなあと思ってさ。たしかに、なんていうか、演じてる節《ふし》があるよな、段田さんなんかは。でもそれを本人に言うわけにいかないだろ、だからなんとかうまいこと言って、現実に目を向けさせなきゃ」

「でもさ、やり残し症候群だとしたら、やり残したことをたとえ演技でもドラマの真似《まね》でも思いっきりやらないことには、終わらないかもね」

言いながら、裕美子はまたしてもどぎまぎする。困るのだ。こんなにスムーズに会話

が進んでは、困るのだ。自分の言葉を、あまりにも正確に理解してもらっては、ほしいと願う返答を、間違うことなく返されては、困るのだ。ほかの男と言葉を交わすときに、いちいち比べてしまうから。二度と恋ができなくなるから。孤独死について本気で心配しなければならなくなるから。

「おれは言うなれば、ハイファット症候群だな」

ぼそりと正道が言う。

「何それ」

「無性に脂っこいものばかり食べたくなる。中年太りの入り口だな」

「じゃあ私は」過去にふりまわされ症候群だ、と言おうとして、「私は健全だわ、まったく」と言った。合コンをしてデートをしてきれいな下着をはいて相手の部屋までいって逃げ帰ってきたと、正道に言うわけにはいかない。

正道は笑い、裕美子も笑った。正道が腕時計を見たので、裕美子もつられて時刻を確認する。待ち合わせの時間から三十分近く過ぎているが、まだ麻美はあらわれない。

「すっぽかされたかな」

「携帯に電話してみる？」

「うーん、そうだなあ」とは言うものの、正道は鞄《かばん》から携帯を取り出そうとしない。

「酒にするか、焼酎《しょうちゅう》にするか」そんなことを言いながら、大判のメニュウを裕美子に向かって広げる。

青春を取り戻そうとしていると、たった今言ったばかりの言葉を裕美子は反芻《はんすう》する。それは麻美だけのことではない。二十代のころ得られなかったものを、自分だって欲しがっていたじゃないか。ディズニーランドやドライブや、そんなものに心を躍らせていたじゃないか。

かつて手に入れることの叶《かな》わなかったものを追い求めて、けれど結局、それらが手に入りそうになると逃げ出した。麻美はどうなんだろう。宇田男とデートをして、離婚を決めて、それで本当に満足するんだろうか。どこかで逃げ出したくなるんじゃないだろうか。逃げ出して、なじんだ場所に帰りたくなるんじゃないだろうか。人はみんな、自分で在り続けることしかできないんじゃないか。手に入れられなかったものは手に入れられなかったまま、手に入れてしまったものは手に入れてしまったままでいるしかないんじゃないだろうか。そんなことを、裕美子は麻美に訊いてみたかった。もちろんここではない、正道のいない別の場所で。

注文をとりにきた店員に、正道が焼酎のボトルを注文している。裕美子に何も訊くことなく、お湯と梅干しも頼んでいる。焼酎は梅干し入りのお湯割り、日本酒は八海山、ワインは赤、ウイスキーはロック。それが二人で暮らしていたときの習慣だった。二人で作り上げた何ごとかだった。

「どう、恋人とか好きな男はできた？」

裕美子のぶんのお湯割りを作りながら、正道はそんなことを訊く。どういう意味だろう、ととっさに考えた自分に、裕美子は嫌悪を覚える。だってあまりにも代わり映えしない。正道の何気ない言葉の裏をさぐっていた、十代のころと。正道の言葉をひっくり返しても意味なんか何もないとわかっているのに。もう恋なんかしていないのに。

「そっちはどうなのよ。うまくいってんの。あの、不機嫌な恋人と」

裕美子はきりかえした。正道は苦笑いをし、

「なんか、おれ、もう二度と人とつきあえないのかもしれない」

と言う。

「何それ、別れたの」

訊いてから、別れていればいい、と思っていることに裕美子は気づく。隣の個室からまた、歓声のような笑い声が巻き起こる。

「いや、別れてないけど、なんつうか」

正道は言葉をさがすように宙を見つめていたが、ふと裕美子に視線を合わせ、しみじみとした口調で言う。

「いや、きみ、言ったろう、ままごとみたいなことして、責任が生じるとケツまくって逃げ出すって。あんときは、きっついこと言うやつだなあと思ってたけど、おれ、本当

にそうだなあと今思うよ。きみ、おれのことよくわかってたんだなあ、おれよりもわかってたんだって思うんだよ」

顔が赤くなるのがわかって、裕美子は意味もなくお湯割りのグラスを頰にあてる。最後に二人で飲んだとき、自分が正道に投げつけたせりふは隅々まで覚えていたが、しかし、

「言ったっけ、そんなひどいこと」しらばっくれた。「でもさ、あの子が原因で私たち別れたわけなんだから、そうそう別れちゃわないでよね。私たちの離婚が徒労になるじゃないの」

「原因って、あの子だったのかな」

裕美子は正道を見る。自分は今、泣きそうな顔をしているだろうと裕美子は思う。けれどそれを、どう隠していいのかわからず、ただまっすぐに正道を見る。

「わかんないよ、そんなこと、私にも」

裕美子は言った。正道は表情の読めない顔で裕美子を見ている。

ディズニーランドにいったんだよ。裕美子は心のなかで正道にそっと話しかける。ねえ、知ってる？　飲み屋で酒飲んでどっちかのアパートに直行することだけがデートじゃないんだよ。ドライブしたり、手をつないで歩いたり、雰囲気のいいレストランで食事をしたり、駅まで送っていったり、そういうデートが世のなかにはあるんだよ。だれ

かと交際したらほかの女によそ見をしないってのは常識なんだよ。そういうことをスマートにできる男の人は、世のなかにたくさんいるんだよ。なんでよりによって私はあんただったの？

そうして裕美子はひそかに驚く。今の自分を作っているのは、目の前に座るこの男なんだ、と気づいてびっくりする。関《かか》わったのが彼でなければ、今、自分はぜんぜん違うところにいるだろう。好意を持ってくれている男の家からすごすごと逃げ出すような自分には、きっとなっていないだろう。そう、今の私を私にしたのは、両親でも友だちでも学校でもなく、この男だ。

「麻美、やっぱり電話してみたほうがいいんじゃない」

やっとのことで裕美子は口を開く。麻美がこないことを望んでしまいそうでこわかった。

「そうだな、かけてみるか」

正道は鞄を引き寄せ、携帯電話を出している。番号を押し、携帯電話を耳にあてる。呼び出し音がちいさく漏れ聞こえる。裕美子は携帯電話を握る正道の指を見つめ、そのかすかな音にじっと耳をすませた。

# 四月の帰宅

門を開け、ドアノブに鍵《かぎ》を差しこむ。ドアノブを摑《つか》んだまま、麻美は家を見上げる。二階建ての長細い家。外壁は淡いベージュで、玄関の真上に窓がある。その辺り一帯は、外壁と屋根が異なるだけの、同じデザインの家が建ち並んでいる。この建て売り住宅は五年前に買った。ローンはあと二十五年残っている。

ドアを開け、なかに入る。よそよそしいにおいがする。黴《かび》と錆《さび》のまじったようなにおいであるのに、なぜか不快ではないにおい。家のなかはしんとしている。靴を脱いで上がり、廊下を歩く。右に智が書斎代わりに使っている部屋があり、その隣に和室があり、左手に脱衣所と風呂場《ふろば》がある。扉の閉ざされた部屋を素通りし、麻美は突き当たりの階段を上がる。冷たい床が足の裏にはりつく。二階は、右手に寝室があり、左手が台所とリビングダイニングになっている。

台所も、リビングダイニングも、きちんと片づけられていた。麻美がいたときよりよほど整頓《せいとん》されていた。麻美は意味もなく台所に入ってみた。いつもガス台にのせていたやかんが見あたらない。使うたびシンクにかけていたふきんもない。冷蔵庫を開ける。なじみ深い調味料のほかには、イカの塩辛と、冷やす必要もないカップ麺《めん》が入っている。

なんだか他人の家みたいだと麻美は思った。他人の家みたいなのに、隅々までいとおしい気がした。麻美は流し台をさすり、水道の蛇口をさすり、ガス台のスイッチをなで、台所とダイニングの仕切りに立って部屋を眺めた。智と並んで食事をしながらテレビを見ていたことが、ずっと昔、小学生のころの記憶ほども薄くなっている。

麻美は台所のあちこちを撫《な》でさすったあと、寝室に向かった。ドアを開け放つと、もわんとなまあたたかいようなにおいが鼻をついた。眠りのにおいだと麻美は思う。智の眠りのにおいが充満していると。ベッドは整えられていて、カーテンはぴったりとしまっている。麻美はカーテンを開け窓を開け、そしてベッドに横たわる。ここに引っ越してきたときに買ったドレッサーを眺める。鏡に自分が映っている。

本当に出ていけるんだろうか、ここを。麻美は、じっとこちらを見つめる鏡のなかの自分に向かって問いかける。向かう場所もないのに、出ていけるんだろうか、私。

自分のベッドに横たわるのは三カ月ぶりだった。今年の正月、麻美は智とともに智の実家に帰省した。結婚してから毎年、たがいの実家を順番に訪問するのが習慣になっていた。昨年が麻美の実家で、その前の年が智の実家、という具合に。智の実家は川崎《かわさき》にあり、元日の夜に親族がそこに大集合する。智の弟、智のおじおばである義父母のきょうだい、その息子や娘。総勢十二人で、智の弟と従兄弟《いとこ》が赤ん坊と幼児を連れてきていて、にぎやかだった。子どもはまだなのかと訊《き》かれるのもいつものことで、愛想笑いで返すのもいつものことだった。愛想笑いで聞き流す智の真似《まね》をしつつ、麻美は唐突に、本当に唐突にすべてがいやになった。すべて、というのはつまり、智と智の家族、川崎の実家とそこにいる自分、子どもの話をしつこくする智の両親、それを聞き流す夫、まねして笑ってみる自分、にぎやかなテレビと子どもの泣き声と、配膳《はいぜん》後三十分もしないで食べ散らかされた食卓――目の前にある、自分を取り巻く光景だった。それまであやかな想像にすぎなかった失踪《しっそう》が、そのとき急に現実味を帯びて頭に浮かんだ。

一泊して自宅に戻り、五日から智の会社がはじまり、日々はごくふつうにまわりはじめた。しかし元日に麻美を襲った「何もかもがいや」な気分はまったくおさまることなく、智を会社に送り出し、九時を過ぎるのを待って麻美は毎日のように図書館にいった。ソファに腰かけ、ガイドブックや時刻表を読みあさり、順番待ちをしてパソコンを借り検索をくりかえした。新潟まで、あるいは青森まで、あるいは長崎まで、どこでどのように乗り換えて片道いくらかかって宿はどんなところがいくらくらいなのか、ということを調べていくと、家を出てどこかにいってしまう、ということが実現可能なことに思えてきた。図書館からの帰り道、逃亡先を、そんなふうにしてさがしている自分の、のんきさと慎重さに麻美は苦笑した。

　妊娠の兆しがまったくないのを不思議に思って、意を決して麻美が婦人科の検査を受けたのは、四年前のことだった。多嚢胞性卵巣症候群《たのうほうせいらんそうしょうこうぐん》という、なんだかお経の一部のような名前を医師は口にした。麻美は男性ホルモンが多く、排卵が起こりにくいのだという説明を受けた。一年間服薬を続けたが効果が見られず、その間十キロ近く太った。べつの療法に切り替え筋肉注射を受けていたが、今度は過度に刺激したことによって卵巣が腫《は》れ、腹水がたまり入院する羽目になった。重症に至らず退院でき、まだほかにも方法があると医師に言われたが、麻美はそれらにチャレンジする気力もなかった。そんな経緯を、もちろん智も知っていた。土曜日ならば病院に付き添ってくれたし、入院すれば会社を遅刻したり早引けしたりして世話を焼いてくれた。

　卵巣の腫れが引いて退院したのち、もう治療をやめたいと麻美が言うと、智も納得した。話し合いなぐさめ合ったわけではないが、その後、双方子どものことは口にしなくなった。それからほとんど触れ合うことはなくなったが、つらい経験をしたおかげで、自分たちの距離は縮まった、たがいを思いやるようになったと麻美はずっと思っていた。

　しかし元日、川崎の家で、麻美はふと気づいたのである。自分が治療を受けているあいだ、智はずっとひとごとみたいに見ていた、と。不妊の原因は自分ではなく妻にある、その妻が自ら望んで治療している、と傍観していた。薬の影響で太ったことを嘆いても、注射の信じ難いほどの痛みを訴えても、智は何も言ってくれなかった。「だってきみが望んだことだろう」とでも言いたげに目を伏せただけだった。思い返してみれば、智はどうしろとも言わなかった。つらいならもうやめよう、とも、がんばって乗り越えて子どもを作ろう、とも。そのどちらかを彼が言ってくれたならば、もっと踏ん切りがついたはずだと麻美は思った。がんばろうと言われれば、たとえ人工授精になったとしても治療に励んだだろうし、もうやめよう、子どもはあきらめようと言われれば、すっぱりとあきらめることができて、その問題から離れられただろう。しかし智は何も言わなかった。

今後どうしていくか、子ども子どもとうるさい両親にはなんと言うのか、智は何も提案しなかった。ただ退院した麻美を受け入れただけだった。そのまま二年が過ぎている。だから、両親が子づくりの話を持ち出したとき、二人はにやにや笑いでごまかすしかないのだ。治療を断念した自分が、多大なレッスン料を出してもらいながらピアノの稽古《けいこ》をやめてしまったような罪悪感と後味の悪さを、今もって抱えているのは、だからだ、と麻美は思った。

元日、川崎の家で何もかもがいやだと思った、そのいちばんの原因はそのことだと、日がたつにつれ麻美は思うようになった。そう思ってみると、智のことがますます許せなくなった。どうして距離が縮まったなどと誤解したのだろう。智はただ、関《かか》わらず傍観していただけなのに、なぜ無関心とやさしさをはき違えたんだろう。智と暮らしていることが、正当な理由を持って耐え難く思えるようになった。そしてその気分は、図書館に通うそのときも、薄らぐどころか増していく一方だった。

一月の半ば、麻美は宇田男に会った。クリスマスに会うことができず、その後もうまく連絡がとれないことが続き、幾度も会いたいというメールを送って、ようやく会えたのだった。その日、宇田男は口数が少なく、不機嫌であるように麻美には見えた。ラブホテルも町歩きもなかった。待ち合わせに二十分遅れてあらわれた宇田男は、「どこにいく？」と麻美が訊くと、まっすぐ居酒屋に向かった。隅にテレビの置いてある、酒焼けした初老の男ばかりが飲んでいる居酒屋で、しかし麻美は果敢にも、自分の計画をうち明けた。家を出て、今の自分のことをきちんと考えたい、そうして考えがまとまったら、そのまま帰らず、どこかで暮らしていこうと思う。宇田男はそれを聞き終えると、鼻を鳴らすようにして笑い、「すごいこと考えついたもんだね」とつぶやいた。

いっしょにいかない？　と、麻美は勇気を振り絞って言いもした。ずっといっしょにいようというのではないの、ほんの数日、気晴らしに旅行すると思ってつきあわない？と。しかし宇田男は取り合わなかった。そんなこと、あんたにはできないんじゃない、とにやにや笑って言うだけだった。麻美はそれに対しても反論したが、しかし宇田男は心ここにあらずといったふうに何か考えごとをしており、居酒屋に入ってから一時間もたっていないというのに、「ちょっと用を思い出した」と言って席を立ってしまったのだった。

勘定を払い居酒屋を出、駅に向かってひとり歩きながら、しかし麻美は、気分が高揚していくのを感じていた。宇田男に馬鹿《ばか》にされたのではなく、励まされたのだと思いこんでいた。あんなふうに冷たく突き放さなければ、私がここを出ていけないと宇田男は思ったに違いない。もし私が本気だとわかれば、きっと会いにきてくれるのではないだろうか。そんなふうに思ってみると、宇田男の、「すごいこと考えついたもんだね」という一言は、感嘆の言葉に変換されて胸に響いた。

そして翌週、一月二十三日、いつもどおり智を送り出し、麻美は家を出た。門を閉め数歩歩いてふりむくと、もう二度と帰らないかもしれないような気持ちになった。

しかし今、もう二度と帰らないかもしれなかったその家の寝室に、麻美は横たわっている。ここに帰らなかった三カ月のあいだ、毎晩どこかしらでこうして横たわり眠ってきたはずなのに、途方もなく久しぶりに横になった気がして、とたんに重たい布地のような眠気に襲われる。麻美は半分閉じた目でベッドサイドの時計を見、まだ昼過ぎなのを確認し、目を閉じる。一、二時間なら眠ってもかまわないだろう。智が帰ってくるのは八時過ぎだ。少し眠ったら、急いで荷造りをしよう。六時過ぎにはここを出ていこう。言い訳のように考えながら、麻美は布地にくるまれるように眠りに落ちた。

目を覚ましたとき、自分がどこにいるのか麻美はまったくわからなかった。部屋は暗く、カーテンの合わせ目から細く白い光がベッドに垂れている。上半身を起こして周囲を見まわし、隣に人影があることに気づき思わず声を上げる。しかし口から漏れたのは、「ヒッ」という引きつった息だけだった。人影は寝返りを打ち、目を開けて麻美を見、「お帰り」と言った。カーテンの合わせ目から漏れる街灯の明かりに、やけに白い目と鼻のあたりが照らされていて、ここが自分の家であること、隣に眠るのが夫の智であることに、ようやく麻美は思い至る。

お帰り、と言った智は、そのままふたたび寝返りを打ち、麻美に背を向け布団をかぶる。静かな寝息が聞こえてくる。麻美はそろそろとベッドを下り、音をたてないようノブをそっとまわして寝室を出た。

明かりをつけて台所に入る。智は夕食を食べたのか、きれいに片づいたままである。リビングに移動して明かりをつけ、ぼんやりとソファに腰かける。ソファテーブルに折り畳まれて夕刊が置いてある。カーテンはぴったりと閉まり、部屋は夜の静けさに満ちている。

一、二時間眠るつもりが、十時間近く寝てしまったらしい。時計は十一時半を指している。夫はおそらくいつもどおりに帰ってきて、玄関に靴を見つけ、寝室に眠る妻を見つけ、何か食べて、風呂に入り、夕刊を読み、テレビを見、そうして服のまま眠る妻の隣にもぐりこんだのだ。三カ月帰らなかった妻を起こすこともなく、離婚届を一方的に送りつけた妻に何か問いただすこともなく。お帰り、と言った智の声を麻美は思い出す。昨日もそう言い合ったような自然な声。

この三カ月私が何を考えていたかなど、きっと智は考えもしないのだろうと麻美は思う。妻の不在も離婚の申し立ても、文字通り何もなかったことにしようとしているのだ。腹立たしかった。昏々《こんこん》と眠り続けた自分も、何もなかったことにしようとしている智も。

さっさと出ていこう、とソファに座ったまま麻美は考えた。生活するのに最低限の荷物は、三カ月前に持って出たボストンバッグに入っている。当初考えていたとおり、幾枚かの服と下着とバッグ、アルバムやら化粧品やら昔の日記やら、持っていきたいものは段ボール箱に詰めて、角のコンビニエンスストアからいったん実家に送る。まだ電車だってある。さっさと出ていこう。そう思いながら麻美は、夕刊の下に置いてあるリモコンでテレビをつけ、チャンネルをまわし、ニュース番組にあわせた。すぐ出ていこうと思うかたわら、段ボール箱をさがしたり、玄関の鍵を閉めたり、コンビニエンスストトアにいったり駅まで歩いたり、この数日泊まっている飯田橋《いいだばし》のウィークリーマンションに帰ったりすることが、世界一周旅行に出立するほど遠く、煩雑なことに思えた。

ニュース画面がコマーシャルに切り替わったところで、麻美はボストンバッグから携帯電話を取り出した。東京に戻ってから会う約束をしたものの、すっぽかしてしまったことを思い出し、澤ノ井裕美子と、まだ結婚時の姓のまま登録してある名前を選択する。


彼らが夫よりもよほど騒いでくれたことで、帰ってからずっと続いていた麻美の怒りは、ほんの少しばかりおさまった。この前は約束をすっぽかしてごめんなさいと裕美子に謝ると、思わず電話から耳を遠ざけてしまったほどの大声を出し、無事なのか、という質問と、ああよかった、という安堵《あんど》の声を交互に漏らした。今度こそ会って話をしないかとも裕美子は言った。もちろん断る理由は、麻美にはなかった。というよりもむしろ、会って話を聞いてほしいから電話をかけたのだった。

三日後の午後七時半少し前に、麻美は手みやげのワインとさくらんぼを手に、裕美子のマンションを訪れた。仲間（と、麻美は今や思っていた）の全員が揃《そろ》っているだろうと麻美は推測していた。充留に充留の恋人に、裕美子に正道、それからひょっとしたら宇田男も。

しかし出迎えた裕美子とともに廊下を進みリビングにいくと、そこにいるのは正道だけだった。

「どうしたのよ、いったい。どこにいたの？　もう本当に心配したんだから」

「それよりさ、段田さん、食事まだだろ？　ピザかなんかとろうか」

「何か用意したかったんだけど、ちょっと時間がなくて。外で食事しながらとも思ったんだけど、ゆっくり話したいじゃない？　うちのほうが気兼ねいらないかと思って」

麻美は廊下とリビングダイニングの仕切りに突っ立って、二人を交互に眺めた。この人たちって、またヨリを戻したんだろうか。そんなことを考えていた。

「さあ、座ってよ。ピザでいい？　お寿司《すし》とか、とんかつとか、変わったところではお好み焼きもあるけど、麻美は何がいい」

「二人？」麻美はさりげなく訊いた。裕美子と正道は顔を見合わせ、言う。

「ああ、充留はいろいろあって忙しいんだよ、今」

「呼んでほしかった人とか、いた？　あ、宇田男？」

宇田男、と裕美子が口にしたとき、とがめるような顔で正道が裕美子を見たのを麻美は見逃さなかった。

「べつに、そういうわけじゃないんだけど」

「宇田男、だれも電話番号知らないのよ。話したいことがあるなら呼ぶ？　麻美、携帯とか知ってるんでしょう」

「それよりほら、なんか頼もうよ。ビールでいいよね、段田さん」

正道は麻美にソファをすすめ、裕美子が電話をかけにいく。台所に入った正道が、まるで自分の家のようにグラスやビールを取り出すのを見て、

「澤ノ井くん、あのダンスやってる女の子と別れて、またここに住んでいるの？」

麻美は思いきって訊いてみた。

「まさか」グラスとビールを手にあらわれた正道は、情けないような顔で笑った。「段田さんが帰ってきたからって連絡もらって、きたんだよ、久しぶりに。うちでもよかったんだけど、うち、遠いし」

「あの子、元気？　若くて正直なあの女の子」

答えようとした正道は、裕美子が戻ってきたのを見て口を閉ざした。

「ねえ、ちょっと、さっそく本題で悪いんだけど、いったいどういうことなのよ、どうしてたの、何があったっていうの」

電話の子機を抱えたまま、麻美の斜め向かいのソファに腰かけ、裕美子はあわただしく訊いた。正道が三つのグラスにビールを満たし、それを受け取って口をつけ、麻美は話すべきことを頭のなかでまとめてみる。充留も充留の恋人も、宇田男もいなかったけれど、二人が興味津々で自分を見ていてくれることに麻美はとりあえず満足しはじめて

いた。ようやく麻美は願っていたものが手に入ったような錯覚を味わう。物語の中心、外側でなく内側。まさしく今、麻美は自分が、指をくわえて眺める側から、眺められる側にいると感じる。

「まず長野の実家に帰ったの。ちょっとひとりになって考えたかったのね。実家にいたら、なんだか高校生のときみたいな気分になって。高校三年のとき、卒業旅行で沖縄にいくことになってたの。結局いっしょにいくはずだった子が、受験失敗して、いけなかったんだけど。そんなこと思い出してたら、宇田男が、旅してまわっていたころのこと教えてくれたのよ。沖縄にね、しばらく滞在したことがあるんですって。それは美しくてのんびりできる島があるって聞いて、そこにいってみようかなって思い立って、ふらりといっちゃったの。私ねえ、ひとりで旅行するの、はじめてなの。っていうか、ひとりでお店に入ってお茶飲んだり食事したりするのもはじめてなのよ。そんなことに気づいて、びっくりしちゃって。私には何か決定的に足りないものがあるって思ったの。そして私の夫は、私のその足りない部分をこそ愛しているんだって気づいたの」

大仰な物言いにうっとりしながら話し続けていた麻美は、目の前に座る裕美子も正道も、なんとなく興味を失っているように見えて戸惑った。正確にいえば、裕美子も正道も、麻美の話のどこに興味のとっかかりを見つけていいのか迷っているように見えた。

それで麻美は主題を変えてみた。

「充留には話したから、もう伝わってると思うけど、私と宇田男は恋愛していたの。宇田男は私に何が足りないかちゃんと教えてくれた、はじめての人なの。足りない部分を非難するのでもなく、足りない部分を愛してくれるのでもなく、足りないところも含めて私を認めてくれる、はじめての人だと私は思ったの。宇田男といっしょにいたいと思ったんだけど、でもとりあえず、人に頼らずにひとりでものを考えなきゃいけないと思ったのよね。宇田男もそのほうがいいって言ってくれたし」

切れ目なく言葉をつなぐ麻美には、もはや何が現実で何が自分の願望なのかわからなくなっていた。どちらもたいした違いはないような気がしはじめていた。宇田男は沖縄にはあらわれなかったが、ひとりでじっくり考えたほうがいいと、たしかに背を押してくれたのではなかったか。先のことはそれから考えようとささやいてくれたのではなかったか。

宇田男の名前を出して、二人の興味がちらりと刺激されたのが、かすかな表情の変化で麻美にはわかった。しかし麻美がなおも話そうとすると、

「宇田男はやばいよ。やめなよ」眉間《みけん》にしわを寄せた裕美子が口を開いた。「宇田男の言うことなんか信じちゃだめだよ。麻美はああいういかれポンチを見たことないから、めずらしいだけだって」

「ちょっと、それはきみの宇田男の印象だろう。いかれポンチとかそういうの、人に押

しつけるのはよくないよ。だいたい宇田男を馬鹿にしすぎだよ」

「でもね、宇田男を信じるのはよくないと思う。これは普遍的なことだと思う」

「普遍的かどうかはともかく、まあ、そうだな、段田さん、宇田男にそそのかされたなら……」

正道の言葉を遮るようにしてインターホンが鳴った。きた、とつぶやいて正道は立ち上がり、オートロックを解除し、財布を持ってリビングを出ていった。裕美子は正道の動きを目で追い、正道の出ていったドアを見つめている。そんな裕美子を、麻美は見ていた。どうして裕美子と正道は離婚したのだろうと、ふと思う。二人がいっしょにいることは、正道がピザを受け取りにいき、裕美子がそれを見ていることは、ごく自然なことに思えた。あの若い女の子と正道がともにいるよりも、ずっと。もしかしたら、この人たちは、学生時代のようにまわりを騒がせたくてわざわざ離婚したのだろうか。

「とりあえず食おう」

薄い四角い箱を手に正道が戻ってくる。ソファテーブルに広げられたピザは、広告写真で見るよりずいぶん貧相に見えた。カリフラワーは変色しつぶれており、サラミは縮こまり、アスパラはしなびて見えた。裕美子が席を立ち、皿とフォークを配る。

「そそのかされてなんかいない」貧相なピザの表面を見つめ、麻美はつぶやいた。

「じゃあさ、麻美は離婚して、宇田男といっしょになるつもりでいるの」

麻美がまだ三カ月間の失踪を話し終えていないというのに、裕美子ははやばやと結論めいたことを口にした。

「そういうことと、違うのよ」

麻美は言い、言葉を続けようとしたが、何を言うべきかまるで思い浮かばなかった。ここにくるまで、あるいはつい数分前まで、彼らに披露すべく組み立てた物語が、ピザのか細い湯気とともに消えていってしまったように感じられた。

「だけど、まあ、人のことはあれだけど、麻美のダンナさんもどうかとは思う。心配していたようには見えないし」

「だからさあ、きみさあ、そういう独断で決めつけたようなこと言うの、やめなよ。心配していたようには見えないのは、おれらに心配かけたくなかったからかもしれないし、夫婦のことって他人にはわからないんだから」

「そらそうだけど。でも私、電話でだけど、麻美のダンナと幾度かやりとりして、麻美がなんで家を出たのかわかったような気もしたんだよね。だってあれじゃあさあ」

「あたふたと落ち着きなくしてさがしまわるわけにもいかないだろ、三歳の子どもがいなくなったわけじゃないんだから」

麻美はピザを頬ばりながら会話する二人を交互に見、そして笑い出した。この人たち、なんにも聞いていていない。私の物語なんて見ようともしない。正道と裕美子は会話を止め、笑う麻美をぽかんとした顔で見る。その顔がよく似ていて、また麻美は笑ってしまう。

「何笑ってんの」

「ねえ、あなたたちはなんで離婚したの」笑いながら麻美は訊いた。

「なんでって」

「まあ、いろいろ」

二人は再度顔を見合わせ、そして二人して麻美を正面から見た。裕美子が口を開く。

「あのね、この人、手に入らないものが好きなの。何かが手に入ったと思うと、とたんにべつのものがほしくなるの。手に入るも入らないも、両方錯覚だとしても」

「まあ、なんとでも言いなよ」

「よくないよ、そういうの。ちゃんと答えたら？　責任って言ったのはあんたでしょ」

「じゃあちゃんと言うけど、まあ、それはきみの論理だよね。きみはおれがそういう男だと思った。それに嫌気がさした。それで別れ話になった」

「まあ、そんな単純なことじゃないけど、かんたんに言えばそうよ。ほかの女の子と会っていて、この先もずっと人をかえながら会い続けていくのだろう男の人と、この先ずっといっしょにいるのかって思ったら、なんか急にどっと疲れちゃって」

「なんていうか、おれたち、つきあいが長いから、予測できちゃうんだよ。こう言ったら相手はこう言うだろうとか、こういう事態になったらこういう対処をするだろうとか。そういうのを安心というのかもしれないけど、なんていうか、まあ、しんどくなったりすることもあるわけだ」

「なーにが、あるわけだ、よ。新鮮味がないってことでしょ、つまり。でもさ、結婚って新鮮味をなくす行為じゃない。新鮮なのなんか、もういらないってことじゃない。だから、結局あなたって人は、結婚向きじゃないんだよ」

「それは言われなくてもわかってるって。だけど、そんな単純なことでもないだろ？　新鮮味がなくなったから、離婚に進んで同意したとか、そういうこととは違うと思うんだよ」

「まあ、そらそうよ。十五年以上もいっしょにいたわけだから、今さら新鮮味だけが問題ってわけじゃないだろうけど」

「だから、ナントカだけ、って理由がひとつしかないってことはあり得ないんだよ。ただ言えるのは、おれたちは夫婦になり損ねたってことだよな」

「そうなのよね、なり損ねたのよ。男と女と二人くっつけば自動的に夫婦ができるわけじゃないんだって、私この人と結婚して知ったわよ。ねえ麻美、私はね、離婚するときに考えたのよね、もしもう一度学生に戻れたとしたら、私はぜったいにこの人と会わない。だって籍入れても夫婦になれないってことがあるって知るためだけに、十五年も費やすなんて、馬鹿げてるでしょ」

「なあ、そういうさあ、無常論みたいなくくりかたするのはやめようぜ。べつに無為に過ごしたわけじゃないじゃん。たのしいこともふつうにあったわけじゃん。相性だってよかったからいっしょにいたんだろ」

「何、その無常論って。どんな言葉？　聞いたことないけど」

まるで掛け合い漫才のようにテンポよく会話していく二人を交互に見つめ、麻美は彼らの言葉を反芻《はんすう》してみる。度重なる浮気とか、新鮮味の欠如とか、たしかにそんな単純なことではなかったのだろう、と麻美は思う。もっと込み入った、蓄積した、絡まりあったいろんなことが、二人のあいだにあったのだろう。しかし、どんな込み入った、蓄積した、絡まりあった事情にしても、正道と裕美子の別れた理由は、至極子どもっぽいものであるように麻美には感じられた。自分の抱えた問題より、はるかに微小でささいで幼い事情のように。この人たちは、たとえば子どもができないということがどんなことなのか知らない。裕美子は自分の体の欠落について考えたこともないだろうし、基礎体温を測ったことすらないだろう。正道は、そういう事態に直面したとき、自分が妻にどう接するべきか考えたこともないだろう。元同級生たちが——たとえば充留が——どんどん自分のしたいことをかたちにしていくなかで、家に閉じこもり夫とメールのやりとりばかりするのはどんな気持ちがするものかわからないだろうし、仕事をしようにもどこからどのようにはじめればいいのかわからないということも、きっと理解できないだろう。それからたとえば、自分がつねに世界から外れた場所にいる、というような気分も味わったことがないだろう。世界の中心をなんとかさぐりあて、そこに自分をあてはめてみたい衝動というものも、生まれてこのかた感じたことがないだろう。

そこまで考えて、麻美は学生のころを色濃く思い出す。居酒屋で泣いて飛び出していった裕美子、追いかけていった正道。昨日喧嘩《けんか》していたのに、今日は学食で向き合ってカレーを食べているカップル。黒板に書かれたドイツ語、生協に並んでいた校章入りの文房具、体育館から聞こえてくる運動部のかけ声、グラウンドでダンスの練習をする学生、いつも周囲を見てびくついていた自分。なんてちっぽけなことで悩み、なんてささやかなことで安堵し、なんて、なんて幼かったんだろう。

麻美は今までにも幾度も学生時代を思い出してはいたが、そんなふうに思ったことははじめてだった。つまり、悩み、笑い、泣き、騒ぎ、浮かれ、酔っぱらい、恋をし、嫉《しっ》妬《と》をし、うらやみ、あるいはそのどれをも強く味わわず、そうしていた自分と自分の周囲の人々を、幼い、と思ったのは。

今目の前にいる二人も、麻美の目には同様に幼く映った。彼らを見てうらやましいと思ったことはあったが、幼稚だと思ったのもまた、はじめてだった。物語の中心に今自分はいるのだと、彼らに知らしめようとしたことも、ひどく子どもじみた欲求に感じられた。

この三カ月、長野の実家から沖縄へ、沖縄から広島、京都と観光旅行のようにまわり、また長野に戻って数週間過ごし、二週間前東京に戻ってきて飯田橋のウィークリーマンションの狭い一室を借りた。気晴らしのような長期旅行をしただけだが、ずいぶんと遠いところにきてしまったように麻美には感じられた。自分は東京に、智と暮らすあの家に戻ってきたのではなく、まだ進み続けているように思えた。その先に宇田男との生活を夢見ているわけではないことを、自分は最初から知っている、そのことに麻美はたった今、気がついた。

「別れなくても、よかったんじゃない」

麻美は言った。あれこれと言い合っていた二人は会話を中断し、麻美を見る。

「別れる必要なんか、なかったんじゃないの」

麻美はもう一度言って、グラスに残っているビールを飲み干した。正道と裕美子は驚いたような顔で麻美を見た。正道の頰にはピザ生地のかすがこびりついている。

「三カ月、家を離れてみて思ったんだけど、私たちって本来、圧倒的に暇なのよね」

麻美は言った。この部屋を訪れたときの、彼ら二人の聴衆を前にした高揚は、とうに薄れていた。物語でもなく、世界の内側でもなく、麻美は今や、この三カ月に自分が見たものについて話したい気持ちになっていた。それは、はじめてひとりきりで見た沖縄の海でも、飛行機の窓から見た雲のかたちでも、ビジネスホテルのちいさなベッドでも、広島のお好み焼き屋でも京都の町並みでも、また宇田男の記憶でもなかった。麻美が三カ月のあいだ見ていたものは、まったく何ひとつすることのない、空白の時間だった。話しながら麻美はそれを実感した。自分は空白を見ていたのだと。

「なんかあるように思うじゃない。やるべきことがなんかあるように。だれかに会ったり、どこかにいったり、一日は決められているように思うじゃない。でも本当はそうじゃない。明日澤ノ井くんが会社にいかなくても、裕美子がだれとも会わなくても、べつにかまわないのよ本当は。私だって、毎日やるべきことがあるんだとばかり思ってた。洗濯とか掃除とか、夕食の支度とかね。でも本当は、なーんにもない。暇なのよ。私、すごく暇なのよね」

三カ月、本当にとても暇だった。驚くほど。暇すぎて、麻美はガイドブック片手に平和記念公園にいき清水寺《きよみずでら》でお詣《まい》りまでしたのである。年輩の観光客に頼まれ、カメラのシャッターを押しながら、いったい、自分は何をやっているんだろうと思った。

「それで、私、その圧倒的な暇ってものを、ものすごくこわがってたことに気づいたの」

まさに今、麻美は気づいたのだった。いつからかわからないほど昔から、自分がそれを心からこわがっていたことに。旅先で、麻美は躍起になって観光し、歩きまわり、そして空白の気配を感じると、あわてて携帯電話を取り出して、宇田男にメールを送った。会いたい。きてよ。ここにきて。私の背中を押したのはあなたでしょう。

「だってみんな、私以外の人はみんな、暇じゃないって信じていたから」

そう、信じていた。正道も裕美子も、充留も宇田男も、みんな忙しそうに見えた。始終悩み、笑い、泣き、騒ぎ、浮かれ、酔っぱらい、恋をし、嫉妬をし、うらやんでいる彼らは、暇や空白など何ひとつ持ち合わせていないように見えた。途中退席し、そのまま戻ってこないカップルの、割り勘の勘定はどうなっているのかなどと白けたことを考えている自分だけが、膨大な暇のなかにおり、そんな自分を麻美は嫌悪していた。

麻美の独白に近い言葉を、裕美子と正道は、意味がわからないという表情で聞いている。学生時代から一歩も足を踏み出さずにいる幼い彼らに、かつての自分のようにそうと気づかないまま空白を未《いま》だおそれている彼らに、わかりっこない。

「そりゃあ、なんの予定もない旅なんだから、暇だろうけど」

裕美子が言い、麻美は口の端を持ち上げて笑った。

「旅じゃなくても暇なのよ。あなたたちが別れたのは、いっしょに居続けたら暇になりそうで、それがこわかったからなんでしょう。だからべつに別れることなんかなくてよかったんじゃないかって、今ふっと思ったの。私たち、暇ってことを、そろそろ引き受けるべきだと思うわよ」

「いや、おれはそんなに暇じゃないけどな」正道は困ったように笑った。

「麻美の言ってることぜんぜんわかんないけど」裕美子は残ったピザに手をのばし、けれどそれを取らずに手を引っ込めて、「ぜんぜんわかんないけど、なんかわかるような気もする」と言った。そして顔を上げ、「それじゃ、麻美はさ、家に帰って今までどおり暮らすわけ？　暇を引き受けるってそういうことでしょ？　送った離婚届は撤回して？」

どうも裕美子はせっかちらしい、と麻美はこっそり思う。何ごともはやく結論に持っていかないと気がすまないらしい。しかしいつか、自分も結論を出さなければいけないのだろうことは麻美にもよくわかっている。

三日前に家に帰ってから、麻美はウィークリーマンションには戻っていなかった。そのまま家で、三カ月前とまったく同じようにして過ごしていた。朝食の準備をし、掃除をし、夕食の準備をし、智のメールに返信をして。智はまるで家具のように麻美を受け入れている。何も訊かず、何も責めず、何もなかったかのように振る舞っている。三カ月の不在を糊付けしてしまったように無視して暮らすのはかんたんなことだろうと麻美は思っている。その糊しろのなかには、離婚の決意も宇田男との情事もきちんとおさまるだろう、とも。

けれど、まだ決心がつかなかった。ここで二人を前にして、自分がいかに空白をこわがっていたかに気づいても、膨大な暇を引き受けるべきなんだと言ってみても、では具体的にどうすべきかが麻美には見えてこなかった。智に対する怒りはまだ続いていたし、自分たちはうまくやっていると以前のように信じることもできそうにない。しかし、三カ月の旅費、ウィークリーマンションの滞在費、すべて智に渡されたキャッシュカードからおろしたお金でまかなった。ひとりで生きてみたいものの、そうするまでの手続き――求人広告を見て履歴書を書き面接を受け働きはじめること、ひとり暮らし用の部屋を見て歩き学生が住むような部屋を借りること、それらを考えているとおいそれと動くこともかなわない。あるいは今度こそうまくいくのだろうかと、煩雑さから逃れるようにして麻美は考えてしまう。私が智を許しさえすれば、離れた距離を少しずつ縮めていけば、膨大な暇をそういうかたちで引き受けるならば、また私は信じることができるだろうか。私と智はとてもうまくいっている、と。

「今はウィークリーマンションにいるんでしょ？　この人もいたのよ、ここを出ていって新居が見つかるまでのあいだ。ウィークリーマンションとか携帯電話とかって、人を離婚しやすくするために作られたものにしか思えないんだけど」

裕美子はそう言って笑った。

「でも、まあ、なんにしてもいったん帰ったほうがいいよ。ダンナさんとよく話し合ったほうがいいよ」

まとめるように正道が言い、麻美は腕時計に目を走らせた。十一時近かった。まだここにいて、何か話していたい気がしたが、しかし何を話せばいいのかわからない。どこに帰ればいいのかも。

「そろそろ帰るわね、遅くまでごめんね」

そう言いながら、立ち上がるきっかけがつかめない。

「そういえば、充留が結婚するんだって。それでいろいろ忙しいみたいなの」

「充留が結婚するとは思ってもみなかったけどな」

「あの彼氏、建設的な話をしそうにないしね」

正道と裕美子は新たに開けたワインを飲みながら会話をしている。

「え、結婚するの」

麻美はつぶやいた。「どうしてまた」ちいさな声でつけ足した。食べていくには充分な仕事があって、好きなようにできて、そこそこには有名で、それなのになぜわざわざ結婚なんかするのだろう、と麻美は思ったのだが、そのつぶやきを聞いて正道も裕美子も笑い出した。

「ほんと、どうしてまたって感じだよね。友だち二組がだめになってんのに」

「段田さんはまだだめになっちゃないだろ」

「でもなんていうか、結婚して幸せいっぱいですってサンプルは、ないじゃないの」

彼らと調子を合わせるようにして麻美は笑い、ようやく腰を上げた。

「本当に帰らなきゃ。遅くまでごめんなさいね」

正道と裕美子もつられるようにして立ち上がり、

「ほんと、でも、よく考えて。また何かあったら連絡ちょうだいよ」

「顔見て安心したよ、とりあえず」

まるで夫婦のように玄関先まで見送りにくる。

「泊まっていくの?」

麻美は少しばかり意地悪な気持ちで正道に訊いた。そうと気づかず幼いままでいられる彼らが、ちらりと意地悪を言いたくなるほどうらやましく思えたのだった。

「まさか。さっきワインを開けたばかりだから」

「麻美ももう少し飲んでいけばいいのに。電車、まだあるでしょ」

あわてて言う二人はほほえましく見えた。ありがとう、と他人行儀に頭を下げて、麻美はドアを閉めた。ひとけのないエレベーターホールを抜けエントランスを歩きながら、麻美は裕美子の言葉を思い出す。もし学生に戻れたら、この人には会わない。

もし学生に戻れたら——麻美は考える——でもきっとおんなじだろう。幾度戻ったって、裕美子は正道に恋をするのだろうし、自分は宇田男や彼らに憧《あこが》れるだろう。あるいは、もし出会わなくたって、きっと今、私たちが立っている場所は一ミリもたがわず同じ場所だろう。

　麻美はすっかり暗くなった道を駅に向かって歩きながら携帯電話を取り出し、宇田男の名前を表示して、幾度も見つめたその画面を数秒見つめると、衝動的に削除ボタンを押した。削除しますか？　と文字が訊いてくる。あなたに削除ができますか？　と麻美の目には映った。なんだか小馬鹿にされたような気がして、はい、のボタンを力強く麻美は押した。アドレス帳のさ行を確認しても、もう佐山宇田男の文字は出てこない。携帯電話を握りしめ、駅に向かって麻美は足早に歩く。風はまだ冷たい。家路を急ぐ人たちとすれ違う。何人かは携帯電話をいじり、何人かはコンビニエンスストアの袋を持ち、何人かは男女の二人連れで、仲むつまじく手をつないでいた。駅の明かりが見えてきて、麻美はふと立ち止まり、もう一度携帯電話のアドレス帳を開いてみた。佐山宇田男の名前がどこにもないことを確認すると、猛烈なさみしさが足元から這《は》い上がってきた。その場にしゃがみこんでしまいそうだった。消したのは佐山宇田男のアドレスであるのに、学生のころの自分をすべて削除してしまったみたいな気がした。いつも白けていて、いつもしらふで、感情のままに動く同級生をうらめしげな視線で眺めていたかつての自分を、好きだと思ったことなど一度もないのに、耐え難いほどさみしかった。あの、田舎もので、びくびくして、いろんなことをいっぺんに吸収しようとして、ださいと思われないよう努力して、人が笑うところでいっしょに笑っていた、あの女の子は、もうここにはいないのだ。しゃがみこんでしまわないよう足に力を入れ、携帯電話を鞄《かばん》にしまう。まるでぬかるんだ道を歩くように、慎重に、力をこめて麻美は駅を目指す。

# 五月の式典

パソコンに向かっていた充留は、カーソルだけが点滅する画面を見てため息をつく。締め切りは二日も前だったのに、まだ一行も書けていない。窓の外に目を向けると、夜空には雲が浮かんでいる。遠くネオンサインがまたたいている。深呼吸をひとつして、充留はふたたび画面と向き合うが、しかし何ひとつ言葉があらわれてこない。画面をインターネットに切り替えて、ブックマークをしてあるページに飛ぶ。表参道《おもてさんどう》のイタリア料理店、恵比寿のワインバー、外苑前のイタリア料理店、銀座《ぎんざ》のフランス料理店。すべて下見はしたものの、二カ月後に執り行うことになった結婚パーティの会場を、充留たちはまだ決められずにいる。

いや、今は場所を考えている場合ではない、締め切りはとうに過ぎているのだから……充留は封じこめるようにインターネットの画面を閉じるが、しかしやっぱり、書くべき言葉があらわれてこない。かたわらに置いた手帳を充留は開いてみる。先月のページを開き、そのまた前の月のページを開き、いきなり机の引き出しを開き、中身をかき混ぜるようにして去年の手帳をさがしだして開く。去年の三月、去年の二月、去年の一月。

やっぱり。やっぱり、去年より、格段に仕事の依頼が減っている。昨年の三月、締め切りを示す赤い丸印は、数えてみると十八ある。十八も、いったい何を書いていたんだろうと思い出そうとするが、しかしさっぱり思い出せない。今月の手帳の赤い丸印は四つ。たった四つ。それなのに、まだひとつも仕上げられずにいる。

充留は去年の手帳も今年の手帳も、放《ほう》り投げるようにして床に落とし、部屋を出る。コーヒーでもいれて、しんとしたリビングで心を落ち着かせようと思ってダイニングルームに向かう。しかし寝たとばかり思っていた重春がリビングルームにいて、「うす」と充留に横顔を見せたままつぶやく。重春はあいかわらずゲームをしている。音量はおさえてあるが、ゲーム音楽が部屋に満ち、重春の周囲には、スナック菓子の袋や、つぶれた空き缶、酒か水か透明の液体が入ったコップ、などが散乱している。とうに見慣れているはずの光景に、充留は苛立《いらだ》つ。台所に入り、乱暴な音をたてて引き出しを開け閉めし、コーヒーの準備をする。そんなふうにものに当たっても苛立ちはなかなか鎮まらない。

自分の毒舌コラムが飽きられているらしいと、充留は少し前からうすうす気づいていた。ことあるごとにローンの繰り上げ返済をしていたのはだからだし、ローン返済が終わったら馬鹿《ばか》コラムはやめるとかつて宣言したのは、この仕事はさほど長続きしないだろうという予感が、はっきり意識していないにせよあったからだった。見切られる前に、見切ってやる。日々の締め切りをただこなしながら、気持ちのどこかでそう思っていた。

コーヒーメーカーをセットしながら、充留は重春の横顔を眺める。重春の両親に会いにいったのは二月の終わりだった。今週末には充留の実家を二人で訪れることになっている。下北沢の雑踏で口にした結婚は、着々と現実になりつつある。

「なんか食う？」画面に顔を向けたまま、重春が訊《き》く。そんな言葉にも充留はかちんとくる。

「あんたはいいよね、気楽でさ」

つい嫌味が口をついて出る。この一言が攻撃の合図だと、おそらく知り抜いている重春は、無視してコントローラーを動かし続けている。

「そこ、寝る前にちゃんと片づけてよね。私、徹夜して働いて、明日起きて掃除するのなんかうんざりなんだから」

ふあい、と聞こえる返事を重春はよこす。その間の抜けた返事は、まるでスイッチのように充留を戦闘態勢にする。

「ねえ、あんたさあ、それでいいわけ？　結婚すんのにそんなまま？　私だけがずっと働き続けて、あんたはそうやってゲームやってるばっかなの？　結婚ってさあ、わかんないけどもっとわくわくうきうきするもんなんじゃないの？　私、うんざりしてくばっかだよ。なんか、変えてよ。変えてくれなきゃ、結婚なんか意味ないよ」

充留は言いながら、しかし頭の隅で、あーあ、と思っている。あーあ、こんなことが言いたいわけじゃないのに。結婚しようと言ったのは自分で、重春ではない。うきうきわくわくしたくて結婚を持ち出したわけではない。わかっているのに、そんなこと。

「パーティのことだって、ぜんぶ私まかせじゃん。下見いって、あんたはごはんばくばく食ってるだけじゃん。このまま私が全部招待状とかやらされるわけ？　私だけのことじゃなくて、二人のことなんだよ、わかってんの？」

あーあ。パーティだって、やろうと言ったのは私だ。裕美子たちにぜったいやったほうがいいと押し切られたのだ。幹事をやるという正道と裕美子の申し出を断ったのも私。自分の会なんだから自分でやるよと言ったくせに、こんなふうに重春を責めてるなんて、お門違いもいいところだよな。重春がそんなふうに反撃してくれればいいのにと充留は思うが、充留の予想通り彼は反論などせず、さっさとゲームをセーブして終わらせ、無言のまま散乱したゴミを片づけはじめる。

ねえ、どうしてあんたは、がんばらずにいられるわけ？　と、かつてよく口にしていたせりふ――とうに言うのをやめた一言が、口をついて出そうになる。

「風呂《ふろ》、はいろっと」

ぼそりと言って、避難するように部屋を出ていく。例の一言を言わずにすんだことに充留はほっとしてため息をつく。がんばる、がんばらない論争は、時間と労力の無駄だとずっと前にわかっている。がんばる、の基準が自分と重春は違うのだ。まったくがんばっていないように見える重春も、私にはわからないところでがんばっているのだろうと充留は思う。パスタを作ったりすることで。夜更けの、恋人の唐突な喧嘩腰《けんかごし》に我慢したりすることで。

マグカップにコーヒーを移す。あーあ、と今度は声に出して言う。なんかしょぼくさい。シャワーの音が遠く聞こえてくる。手桶《ておけ》を落としたのか、がたん、という大きな音も続く。恋人ってのはしょぼくれてるもんだという、重春の言葉を思い出す。私たちはこのまま、しょぼくさい恋人を経てしょぼくさい夫婦になるのだろうか。

マグカップを持って充留はベランダに出る。暑くも寒くもない夜の空気を思いきり吸いこみ、夜に沈みこむような公園と、星のように点滅する遠くのネオンサインを交互に見つめる。

コラムの仕事がなくなったら、めったやたらに毒をまき散らす露悪的な役割を脱ぎ捨てられたら、きっとすこぶる楽ちんだろうと充留はずっと思っていた。そうしたら、念願のノンフィクションにやっと本腰入れられる、と。けれど実際、依頼の減少を数値で知り、充留は少なからず動揺している。いや、正確にいえば、動揺の原因は数値ではないこともまた、充留はうっすらとわかっている。

おもしろいように依頼がきて、調子に乗って書いているとき、自分の周囲はやけににぎやかだった。ちやほやされるとか、有名人と会う機会が増えるとか、そういう物理的なにぎやかさではない。もっと個人的な——たとえるなら、盆踊りの輪に加わって夢中で踊っているような、人の目がまったく気にならないような浮かれたにぎやかさだった。自分の仕事が好きか否《いな》か、書きたいことを書いているか否か、そんな内省的なことを考えずとも、踊り続けたくなるような恍惚《こうこつ》と充実があった。

そして、依頼が減ったことを数値で確認するよりも先に、その熱がゆっくりと冷めていくのを充留は感じていた。気がつけば自分は踊りの輪から外れ、ほかの人々がたのしげに踊るのを、校庭の暗闇《くらやみ》からうらやましげに眺めている——そんな静けさが、ひたひたと迫ってくることに気づいていた。

蒲生充留が毒舌を吐けば吐くほど、充留に対する批判も野次も多かった。インターネットの掲示板で悪口を書かれたこともあるし、単行本を出したときは、映画関係者や他の同業者たちから、品がない、所詮《しよせん》部外者が、とこき下ろされた。それでも盆踊りの輪で踊っているときには、そんな声もお囃子《はやし》に似たかけ声に聞こえた。けれど輪を離れてみると、それらの声は実際以上に冷たく批判的に思えた。そんな声もめったに聞こえなくなった今、充留は、盆踊りの輪はおろか、盆踊り会場になっている小学校の校庭からも、放り出されたような気がしていた。毒舌って、なんかもう古いのよね、と、親しい編集者が言ったせりふを充留は思い出す。それは充留への批判でも警告でもなくて、同情的な言葉だった。今ってさ、なんかきれいなものがちやほやされるじゃない。泣けるとか、感動とか。コラムも文化評論もおんなじよね、みんな褒めあって、感動しあってたいのよね。けなし一辺倒で勝負できたのは、景気のおかげだったのかもね。彼女はひとり納得したふうに言い、酒が入っていたこともあって、感動糞《くそ》食らえ、泣ける作品糞食らえ、などと充留は息巻いて見せた。編集者は強くそれに同意していたのだが、翌日二日酔いのなかで目覚めてみれば、裏も奥行きもないけなし一辺倒の自分は、このまま飽きられて捨てられるんだろうと、充留はやけに冷静に思った。いや、飽きられ捨てられる前に、芸能情報にも映画事情にも、とんと疎くなってついていけなくなるのが先か。

今、盆踊りの明かりは、ずいぶん遠く離れてしまったように感じられる。こうして家のベランダから、隣町のにぎわいを眺めているほども遠く。その静けさにこそ、充留は動揺する。

いいじゃないか。仕事がこなくなれば、時間ができる。好きなことがはじめられる。まずは資料をそろえて、書きたいものに合ったノンフィクションを受けつけている新人賞があるかどうか調べて、ゆっくりと書き出す。蓄《たくわ》えがなくなれば、きっと重春も重たい腰を上げて何か仕事をはじめるだろう。

ともあれ私は結婚しなくちゃならないのだ。結婚して、終わらせなくちゃならない。変えなくちゃならない。充留はコーヒーに息を吹きかけ、心のなかで意思表明する。何を終わらせて、何を変える？　問いが自然にわき上がり、それをねじ伏せるようにして充留はつぶやく。

「今を」


玄関の扉を開けた裕美子は、充留が両手に提げた大量の紙袋を見て、

「んまあ、またずいぶん……」と、感心したように言った。

「悪いねえ、お休みのときに」紙袋をばさばさいわせながら充留は部屋に上がる。

裕美子はそれには答えず、充留に先だってリビングに向かう。

「それ全部招待状が入ってんの？」

「まさか。招待状セットはこの袋だけ。あとは服とか靴とか。あ、おみやげあるんだ。チョコ買ってきた」

「服とか靴ってパーティの？　貸衣装にするんじゃないの？」

「おおげさなのいやだからさ、結婚式！　って感じのドレスじゃなくて、パーティ用のドレスにしたんだよ」言いながら、充留は紙袋のひとつをダイニングテーブルにのせ、

中身を出す。

「それだったら、宅配にすればよかったのに」束ねられたカードを手にとり、裕美子はしげしげと眺める。

「裕美子に見てもらおうと思ってさ。おかしくないかどうか」

「うん、見たい見たい」

「じゃ、これ終わったら見てよ。ネックレスがちょっと派手じゃないか心配なんだよね」

「今コーヒーいれるからさ、そこに準備しておいて。すぐやるから」

裕美子はキッチンにいき、充留は紙袋から取り出した中身をテーブルに並べる。スティックのり、銀色のカード、出欠用の葉書、レストランの地図入りカード、封筒、寿《ことぶき》用の八十円切手。葉書にも封筒にも、文章や宛名《あてな》はすでに印刷されている。名簿作成と文面は充留がやり、レイアウトと印刷は重春がやった。たったそれだけのことをするのに、幾度となく険悪な雰囲気になった。一方的に充留がからみ、重春が無言でそれを吸収する。そのくりかえし。

テーブルにすべて並べ終え、充留は顔を上げ、ベランダに続くガラス戸を見た。レースのカーテンの向こうに青空が広がっている。洗濯物が翻《ひるがえ》っているのが見えた。Tシャツやハンカチにまじって、下着までも無防備に吊《つ》り下がっている。ひとりで時間を過ごす裕美子の姿を、ちらりと見たような気がした。その姿はなぜか夜のなかにあり、裕美子は取り残された子どものように爪《つめ》を噛《か》んで外を見ている。充留は洗濯物から目をそらし、キッチンにいる裕美子に向かって声を張り上げる。

「そういえば麻美ってどうなったの」

「ああ、麻美！」はしゃいだような声が聞こえ、つづいてトレイにコーヒーカップをのせた裕美子があらわれる。「つい二週間前よ、ここにきて、私と正道で話を聞いたってことは言ったよね？　それがメールにも書いたけどほんと、よくわかんない話だったのよ。なんだっけな、自分は暇であり、でもその暇をこわがっており、暇ではないと言い聞かせるために旅に出た……ような話なの。ねえ、これ、順に入れていけばいいわけね？」

コーヒーカップをテーブルの隅に置き、裕美子は充留の向かいに座ってカード類を見おろす。

「うん、この銀のカードに全部挟むようにして、封筒に入れてくれる？」

「オッケイ。そんでね、あげくの果ては私と正道は離婚すべきじゃなかったんじゃないかとか、言うわけよね」なめらかな手つきで作業をはじめながら、裕美子は話し出す。「麻美が何を言ってるかわかんなかったから、仕方なく、麻美が帰ったあとで私たち推測したの。つまりさ、麻美、きっとダンナさん忙しくて、でも働くなとか言われてて、暇だったんでしょ。そんなところに宇田男にたぶらかされて、本気になって、さらにそのかされて家を出たものの、宇田男はあんなやつだし、どうせ先に飽きちゃって、それで麻美は急に、酔いが醒《さ》めるみたいにすうっと醒めちゃったんだと思うの。それで気づいたんだと思うのよ、本気のつもりだったけど、違うやって。暇つぶししてただけなんだなあって、気づいたんだと思う。きっとそのことを言ってたのよね、あのとき」

二つ折りの招待状に、葉書とレストランのカードを挟んだものを裕美子が充留に手渡し、充留がそれを封筒に入れ、封をする。ごく自然な流れで手を動かしながら、充留は相づちも打たず裕美子の言葉に耳をすませていた。何をどう思えばいいのかよくわからなかった。宇田男の気まぐれに、麻美だけが本気になって、家まで出たものの宇田男に見捨てられた、という筋書きは、以前ほど充留を安堵《あんど》させなかった。ただ、麻美をうらやましいと思った。麻美のことをうらやましいと思ったことは今まで一度もなかったが、けれど、酔いが醒めるみたいにすうっと醒めた、その一点において、充留は麻美をうらやましいと心底思った。

「じゃ、麻美はもう気がすんだってわけ？　離婚するとかあれだけ言って、行方くらませてみんなを心配させて、あー気がすんだって、家に戻って今までどおりに主婦やってるわけ？」手を止めて充留は訊いた。自分の口調が刺々《とげとげ》しくなっていることに気づき、言い訳するようにつけ加える。「平和だよねえ、なんていうか」

「そうね。あのあとメールでやりとりを一回しただけだけど、家に戻ってるんじゃないかな。だってこんなに長く、ウィークリーマンションにはいないはずだもんね」

充留が手を止めたぶん、充留と裕美子のあいだにはカードが積み重なる。裕美子はそれに気づかず、セットにしたカード類を積み上げ続けていく。

「過去なんか、手に入らないのにね」

社員に監視されながらアルバイトをしているような、そんな真剣な表情で熱心に手を動かしながら、ぽつりと裕美子が言った。

「え、何それ、急に悟りを開いたみたいなこと言って」

充留は笑ったが、べつに何もおかしいことはなかった。どきりとした胸の内を見透かされないように笑っただけだった。

封筒にすべてのカードがおさまると、今度は手分けして切手を貼《は》っていく。レースのカーテンの向こうで空は、青色をさっきより濃くしている。裕美子は封筒の宛名をいちいち眺め、「ああ、なっちゃんも呼ぶの」とか、「へえ、松田くんって平塚《ひらつか》に住んでるの」とか、「そういえば邦生から飲もうって連絡あった」とか、ひとつひとつに感想を述べ、「あーあ、また集まるのか、あの面々で」と、校庭三周と命じられた中学生みたいな声を出した。

「そういえば、あんたたちの離婚パーティ、一年前だったたね」

「面子《メンツ》がいっしょじゃないの」

「まったく同じじゃないでしょ。私の仕事関係の人もいるし、重春の友だちもいるんだから」

「そうだけどさあ、でも、正道に私に麻美に邦生に……宇田男は呼ばないの？」

「呼ぶよ」充留は切手を慎重に貼りながらさりげなく答える。「呼ぶだけは」

「それでまた、だれかにちょっかい出して、またぞれかが失踪《しっそう》したりしてね。なっちゃんあたりが」

「あり得る。意外に裕美子だったりして」

「やめてよ、私があんな男に引っかかるわけない」

裕美子は笑い、充留も笑った。

「ねえ、なんで結婚することにしたの、急に」

裕美子のマンション近くのポストに封筒をすべて投函《とうかん》し、駅までの道を歩きながら、裕美子が訊いた。陽《ひ》はもうすっかり落ちて、道路の先にひっかかるように星が出ている。ドレスや靴の入った紙袋は、充留と裕美子で分担するように持っている。

「急にっていうか、もうずっとつきあってるじゃん、私と重春。ふつう、やっとゴールインだねとか言うんじゃないの」

充留は笑った。なんでよりによって結婚などしてしまうのか、と訊かれているようでおかしかった。なんだかぜんぶ、知られているみたい。充留は思う。どきどきわくわくして結婚に臨んでいるわけでは、けっしてないことを、すべてお見通しみたい。

「だってゴールなんて思ってないもん。充留だってそうでしょ。ねえ、なんで」

裕美子はめずらしく食い下がって訊く。

過去は手に入らないからだよ。充留はあぶくのようにわき上がった答えにこっそり笑い、

「なんかもう、恋とかめんどくさいし。これからだれかと会って恋愛するとか、あり得なさそうだし」と言った。

「麻美の言葉を借りれば、暇を引き受けるってわけね」

裕美子は妙にまじめくさった顔でうなずき、「ね、夕ごはん食べてったら。焼き鳥食べようよ」そう言って充留をのぞきこむ。夕食までには帰ると重春に言ってあったが、そう言った裕美子の顔はなぜかすがるように見えて、

「じゃあ、手伝ってくれたお礼におごるよ。焼き鳥でいいの？　もっと豪勢なものでもいいよ」充留は笑った。「ごはん食べて帰るってメールしとくわ」紙袋を片手にまとめ、歩きながら充留は重春にメールを打つ。駅が近づくにつれ、すれ違う人が増えてくる。

「ごはん食べて帰ります。あなたも何か食べててね。コンビニはだめよ。チュッ。いい

なあ、なんか新婚って感じ」

　紙袋をふりまわしながら裕美子が言い、

「でたらめ言うな、それに新婚じゃないし」文字を打ちこみながら充留は無愛想な声で言う。数歩先を歩く裕美子の後ろ姿を見ていたら、正道も呼ぼうか、と声をかけたくなった。呼んでみるだけ呼んでみようか、暇だったら合流するんじゃない？　けれど充留はその言葉を飲みこむように送信ボタンを押した。

　裕美子が連れていったのは駅を反対側に出たところにある焼き鳥屋だった。狭い店内には煙がもうもうと立ちこめ、天井近くのテレビは七時のニュースを映し、テーブル席はカップルやグループ連れの年若い客が埋め、カウンターは常連客らしい中高年が、テレビを見たり新聞を広げたり、思い思いに酒を飲んでいる。カウンター客につめてもらい、隅のほうに空いたスペースに裕美子と充留は座る。かしら、ハツ、レバ、ねぎま、アスパラ、大根サラダ、モツ煮、思いつくまま注文し、運ばれてきたビールジョッキをかちんと合わせた。

「ほんと、ちょうど一年前だったなあ」

　唇についた泡をなめ取りながら、感慨深げに裕美子が言う。

「馬鹿げた式だったよね」

　離婚届提出のビデオや友人たちの大まじめなスピーチ、真剣な悪ふざけの数々を思い出して充留は笑う。数本串《くし》ののった平たい皿が目の前に置かれる。裕美子はすかさず、唐辛子をふりかけている。

「イッサイかあ」

つぶやくように裕美子が言い、独り言かと聞き流していると、わざわざもう一度、

「イッサイになったのかあ」

と言ってため息をつく。裕美子が何を言いたいのかまるでわからず、しかしイッサイが一歳と頭のなかで変換され、充留は驚いて裕美子を見た。

「何、ひょっとして裕美子、離婚前に子ども産んでたの？」

「まっさかあ。私の年だよ、私の。離婚してからの」

「はあ？　何言って……あ」ここでようやく充留は思い出す。離婚パーティでの、裕美子のスピーチを。──私も、澤ノ井正道といっしょにいない自分がどういうふうであったか、もう忘れてしまいました。だから明日から、自分がどうなるのかぜんぜんわからない。そして二次会へと向かう道すがら、裕美子は言っていた。十八歳からやりなおすような感じだと。

「なんか、あんまし成長した気がしないけどな。かえって退行しているようにも思うしな」

串にかぶりついて裕美子は言う。どっと背後から笑い声が聞こえ、裕美子と充留は同

時にふりかえる。テーブル席を男女の混合グループが陣取っている。まだ八時前だというのに、酒に酔ったのか、ひとりがテーブルに突っ伏して眠っている。ほかの男女が、ふざけて彼の頭髪に、串を幾本も刺して笑い転げているのだった。ひとりの女の子が携帯電話のカメラで写真を撮る。するとまたみんな笑い転げる。裕美子と充留はしばらくその様子を眺め、ゆるゆると顔を前に戻した。

澤ノ井正道と離れて一年。たしかに、知り合ってから今まで、ひとりきりでいる裕美子を充留は見たことがなかった。しかし、この一年を思い出してみると、やはり裕美子は正道とともにいたように思ってしまう。つまり、去年の裕美子と、今隣にいる裕美子と、まったく同じように見えるのだ。その証拠に、充留は今にも携帯電話で正道を呼び出してしまいそうな気がしている。もちろんそんなことは口にせず、充留はビールを一口飲んで、言う。

「でも一歳の赤ん坊だって、まだなんにもできないじゃない。意味のあることしゃべれるわけじゃなし、フルマラソンに出られるわけじゃなし、就職して初ボーナスで鰻《うなぎ》おごってくれるわけじゃない。ただ、よろよろ立ち上がってマンマとか言うのがせいぜいでしょ」

それを聞くと裕美子は笑った。「まあね」笑いがおさまるとビールを飲み干し、「おじさん、おかわり」カウンターの内側に言い、「まあ、たしかに一年の成長なんて、たかがしれてるね」まじめくさった顔でつぶやいて、ひとりうなずいた。

背後でまた笑い声が上がり、つられて充留はふりむく。頭に串を刺された男の子が、むっくり起きあがってきょろきょろとあたりを見まわしている。

「うるせえっつうの」カウンターに肘《ひじ》をついた裕美子はふりかえらずに毒づく。「ガキが酒飲んでんじゃねえよ」もう酔ったのかと充留がのぞきこむと、新しいビールジョッキを抱えこむようにして裕美子はにっと笑い、「もうそんなこと言う年になっちまったよね」とそっと言った。

「ガキはさっさと帰って寝ろっつうの」充留も裕美子にささやくように言ってみる。裕美子は声を上げて笑い、充留もうつむいて笑った。

店を出たのは十時過ぎだった。駅まで見送りにきた裕美子は、紙袋を充留に渡しながら、「あっ」と声を出す。

「何」改札にいきかけた充留がふりかえって訊くと、

「ドレス見せてもらうの忘れた」重大な失敗をしたかのような顔で裕美子が言う。

「じゃ、当日を楽しみにしててよ」充留は言って改札を抜けた。ホームに続く階段の手前でふりかえると、裕美子はまだそこに立って、充留に向かって手をふっていた。

借り切ったレストラン内にはレディオヘッドが流れている。控え室にした個室に、充留と重春は所在なく座っている。だんだんおしゃべりや笑い声が束になって聞こえてきて、ずいぶん人が集まっているのがわかる。充留は隣に座る重春を見る。重春も充留を見る。細身のスーツを着込んで髪をなでつけた重春は、なんだかまるっきり子どもに見える。図体ばかりでかい、いきがった中学生に。

「レディオヘッドなんて、やっぱりおかしいんじゃないの」

何を言っていいかわからず、充留はそんなことを言ってみる。ただのパーティなのに、五千人の前でスピーチをはじめるかのように緊張している。

「盛り上がってるよ、だいじょうぶだよ」

重春は言い、髪をいじりながら足でリズムをとりはじめる。

パーティ会場となる恵比寿のレストランを予約してから今日まで、かつてないほど喧嘩をしてきた。いや、正確には、どんなふうに突っかかっても重春は何も言い返さないので、喧嘩も成立していなかったが。何かと意見が食い違う上、重春は充留が思うようにはパーティに協力的ではなかった。重春が手伝ったのは招待状作りくらいで、あとの、店側との打ち合わせ、受付や司会を引き受けてくれた人との打ち合わせ、返信葉書の整理、引き出物代わりのちいさなプレゼントの用意、すべて充留がやった。そのくせ、パーティ前に流す曲はこれがいい、歓談中の曲はこれと、重春は音楽ばかりうるさく口を出し、充留が反対しても頑として譲らない。

途中で、いったい何をしているんだか幾度も充留はわからなくなった。なぜパーティなんかやろうとしているのか。そんなもの、本当にやりたいのか。もう、ぜーんぶやめた、と言って放り投げたくなった。そうすればいっそすっきりする。家のなかを険悪な空気が漂うこともなくなる。いつもどおりの日々になる。けれど充留はやめなかった。たった四つの原稿もうまく書くことができず、自分でもそうとわかる手抜きの仕事をして、店に打ち合わせにいき招待客に配る洋菓子の注文にいき、司会を引き受けた邦生と打ち合わせを重ねた。結婚パーティは、充留のなかでやりたくもないのにやらなければならない何かだった。運動会とか、文化祭とか、そんな類《たぐい》の。

「入ってもいい？」

裕美子と正道が個室に顔をのぞかせる。なぜかもじもじしながら個室に入ってきた裕美子は黒いイブニングドレスを着ており、正道はスーツを着ている。

「なんでそんなちゃんとした格好してんのよ」充留は笑う。

「本日はおめでとうございます」

裕美子はまじめくさって頭を下げ、四角い紙の手提げから、ボールのかたちのブーケを取り出した。白いミニ薔薇《ばら》と桔梗《ききょう》に似た青紫の花でできたそれを充留に渡す。やだ、ありがとう、そんなことを言いながらそれを受け取ったとき、なぜか、まったく自分でも想像がつかないまま、充留は泣いてしまいそうになった。

「でもこれ、どうすればいいの？　こうして提げて歩けばいいの？　サッカーボールみたいじゃない？」あわてて茶化す。しかし裕美子も正道も笑わず、

「なんで紺色なんだよ、花嫁が」紺色のすとんとしたドレスを着ている充留に正道は顔をしかめ、

「ほんと。それじゃふつうじゃない、主役なのに。〝あなたの色〟に染まるのを拒否してるってわけ」裕美子は呆《あき》れたように言う。

「だって今さら白いドレスなんてさあ」と笑う充留を無視して、

「ああ、やだやだ、年とると理屈っぽくなるよね」

「白がいやなら黄色とかピンクとかさあ。紺ってのもねえ」

「あのとき、見せてもらってたら私ぜったい反対したのにな。なんか地味すぎるわよ」

二人はまるで親族のようなことを言い合う。

「澤ノ井、あの恋人はこないの？」

充留は訊き、そんなことを訊いている自分に驚いた。正道は言葉に詰まり、裕美子がちらりと正道を見るのがわかった。わざわざ意地悪をしているような気分になる。それなのに充留は訊かずにはいられない。

「ひょっとしてもう別れてるとか？」

裕美子が顔を上げて正道を見る。

「おまえさ」正道は苦笑する。「結婚式の控え室を、居酒屋仕様にすんなよな」

「別れたの、あんたたち」と重ねて訊くのは裕美子である。

「連れてくると、おれ、意味もなく窮地に立たされそうだから」

正道はすぐに笑顔を作って答え、

「やあね、こういう男。黙ってくるより、一応誘ったほうがいいのにね」

裕美子がいつもの調子で憎まれ口をきき、

「本当だよね。澤ノ井ってほんと、そういうとこ不誠実だよ」

少しばかり安心して充留も笑った。どやどやと数人が個室に入ってきて、充留たちは彼らに目を移す。うぃっすだとか、やるじゃんだとか、きめてるねえだとか、口々に言いながら彼らは重春を取り巻く。はじめて見る重春の友人を、まるで母親が息子の友人を値踏みするように充留は無遠慮に眺めた。三人いる男たちは、みな申し合わせたように茶色い髪を必要以上に逆立てて、同じようなスーツを着ており、ひとりいる女の子は、少女漫画みたいな縦カールで、肌の露出が多い白のミニドレスを着ていた。彼らを見て充留は今さらながら、重春が自分よりずいぶん年若いことを思い出す。ミニドレスの女の子のほうが、重春の花嫁によほどふさわしい気がした。

そのまま彼らは重春を取り囲み、「おまえ何この曲」「ぜってーシゲの趣味だろ」「私、ご祝儀持ってこなかったけど、いいのかな」と、騒々しく会話をはじめる。

「みんな、きてるかな」

突っ立って彼らを見ている裕美子と正道に充留は訊く。

「けっこう集まってるけど」

「麻美はまだ見かけなかったね」

「でも、くるんだろ」

「昨日電話あった。何着てくのか心配してたから、くると思うけど」

会話をはじめる二人を交互に見ながら、みんながきているかどうかではなく、宇田男がきているかどうかが知りたいのだと、充留は自分の気持ちに気づく。宇田男がきていなくてはなんにもならない。重春と喧嘩をしながらもパーティを敢行した意味がない。結婚する自分を見せたいのでもない、宇田男に対して染みのように残る気持ちにけりをつけたいのとも少々違う――宇田男に馬鹿にされない大人になりたい、そんなことをもう目指さなくてもいいのだと、自分に言い聞かせるために、現在の宇田男と現在の自分の立ち位置が過去とは違うことを、自分に知らしめるために、今日のパーティで私は宇田男を見なくてはいけないのだ。充留はそんなことを考える。

「もうそろそろ麻美もきてるかもね」

「呼んでくる？」

「でももうはじまるんじゃない」

言葉を交わす二人に、宇田男は、と訊きたいのをこらえていると、「あ」重春の友人のひとりが充留たちに気づき、向きなおる。「おめでとうございます」ひとりが言うと、みながいっせいに頭を下げた。だれなのかと充留は重春に目で問うが、重春は照れくさそうににやついているだけで何も言わない。

「大学の、友だちです。あの、語学が」

「おまえが紹介すんだろ、ふつう」ひとりが重春の尻《しり》を膝《ひざ》で軽く蹴《け》る。

「こいつ、こんなんですが、よろしくお願いします」耳にピアスをしたひとりが、やっぱり照れているのか、にやついたまま頭を下げる。

「じゃ、あの、あとで」

四人は名前も告げず、そのまま個室を出ていく。入れ替わりに邦生があらわれ、「そろそろだけど、ぴったしにはじめてもいい？」と訊きにくる。

「じゃ、私たち、あっちいってる」

裕美子と正道が去り、控え室には充留と重春が残される。

「で、どうすんだっけ」

重春はぼさっと立ち尽くしたまま所在なげに言い、呼ばれるまで待っていればいいんだよ、と答えかけた充留は、隣に立つ男をまじまじと見つめた。無精髭《ぶしょうひげ》はきちんと剃《そ》ってあり、髪はワックスで光っている。

「何」また何か突っかかってこられると思ったらしく、身構えて言う重春の全身をなめまわすように見て充留は、

「あんた、若かったんだね」

思わずそんなふうにつぶやいた。

「はあ？」

喧嘩を売られなかったことに安堵したらしく重春は笑い出す。レストランフロアの照明が暗くなり、音楽がレディオヘッドからコールドプレイに切り替わり、「えー、今日はお集まりいただきありがとうございます」マイクを通じた邦生の声が聞こえてきて、いくつか野次の声が飛ぶ。パーティ準備には非協力的だった重春は、まるでステージに出ていくアマチュアバンドの一員のように、スーツを整えたりその場でぴょんぴょんと跳んだり、おし、とちいさくつぶやいたりしている。そんな重春を、まだ充留は眺めまわしながら、今若いこの人にももっと若いころがあったのだと、そんなことを考えていた。恋をしたり馬鹿騒ぎしたり、いきがったり深刻ぶったり、世のなかのすべてのものが自分のために用意されていると大仰な勘違いをしていたことがあったのだ、と。

司会の声に促され、ひときわ大きくなったコールドプレイの音楽のなか、レストランフロアに出ていくと、どこからか自分たちを照らすスポットライトの強烈な光に、充留は思わず目を細めた。暗いフロアを見渡そうとしても、拍手と野次が聞こえるばかりで、

だれがどこにいるのかまったくわからない。

射抜くような白い光のなか、充留は一瞬、自分たちの姿を見る。居酒屋で泣き出す裕美子、出ていった彼女を追うためしぶしぶ店を出ていく正道、先週とちがう女の子と構内を歩いている宇田男、ドイツ語の単語が殴り書きされた黒板をじっと見つめる麻美。春の公園で酔っぱらい池に飛びこむ彼ら、夏の構内で花火をして警備員に怒られる彼ら、秋の湿った枯れ葉を踏んで歩く彼ら、冬の下宿で鍋《なべ》をつつき声を落としていつまでも会話する彼ら。まだ何ものでもないというのに、すでに何ものかであるような傲慢《ごうまん》な錯覚を抱き、今手にしているものは砂の一粒も失うことなく歩いていけると信じている。自分が笑うとき、世界もいっしょになって笑っていると疑わず、こっそり泣くとき、世界が自分だけを苦しめていると思っている。なんと無知でなんと幸福な時間に、彼らはいるのだろう。

やわらかい布地を引きずるようにスポットライトが離れていく。それは徐々に光を弱め、同時にフロアが明るくなる。影のように黒いかたまりだった人々に輪郭が与えられ、やがて彼らひとりひとりの顔が見えるようになる。金色の光のなかで、みな笑みをたたえて手を叩《たた》いている。

自分がなぜここにいるのか、充留は一瞬わからなくなる。なぜこんなふうに人々の前に立ち、笑顔で讃《たた》えられているのか、わからなくなる。こんなふうにしてもらうべき、何を私はしたんだっけと充留は思う。寄り添うように立っていた隣の男が動き、ちらりと目をやると、重春は深々とお辞儀をしていた。ああ、重春。そうか。私たち、祝ってもらっているんだ。瞬時に思い出し、充留もあわてて頭を下げる。重春と同じくらい深く。

「本人たちの希望もあって、気軽な会なんで、スピーチとかそういうの、やらないんで、すみませんがおれが乾杯の音頭をとらせてもらいます」

正道と裕美子の離婚パーティでも司会をしていた邦生が陽気な声で言い、シャンパングラスを高く掲げる。フロアの人々もそれに倣《なら》ってグラスを手にする。掲げられたいくつものグラスに、金色の光が反射してフロアはやけに華々しく見えた。だれも彼も、充留の目には大仰に見える格好をしていた。男性はスーツに白いネクタイ、女性は肩や胸元を露出させたイブニングドレス。紺色の服を着たいちばん地味な自分が、彼らの前に立っていることがおかしくなる。

乾杯、と叫ぶように邦生が言い、グラスのぶつかり合う透明な音が響き、また拍手が鳴り、次第にフロアはざわめきはじめる。隅に用意された二人用の席に、充留は重春とともに着席する。みな二人にはかまわずに、立ち話をしたり、用意されたビュッフェ料理を取りにいったりしている。あんなに熱心に讃えられていたのに、急に仲間はずれにされた気がした。けれどそのほうが、自分に似合う気がした。自分と重春に似合うような気がした。

人と人のあいだに、充留は宇田男の姿を見つける。めずらしくスーツを着込んでいる。格好はきちんとしているのに髪に寝癖がついている。背を丸め、たった今盛りつけてきたらしい料理を食べている。だれかが宇田男に近づき声をかける。麻美だと充留は気づく。麻美は保護者会に赴くような、ベージュのツーピースを着ている。麻美がビール瓶を手に取り、宇田男はあわてて皿をテーブルに置き、グラスを差し出す。麻美は笑顔でビールをついでいる。グラスから泡があふれ、宇田男は背を丸めてそれをすする。麻美が背をのけぞらせて笑う。自分の口元もにやついていることに充留は気づき、そしてひそかに安堵する。だいじょうぶだ、と思う。だいじょうぶだ、私はきちんと終わりにできる。神田川沿いを歩いた、あの気の毒なちいさな娘の背を見送ることができる。

「これ、持ってきたから、食って。腹減るだろ」

邦生が、てんこ盛りに盛りつけた皿を充留と重春の前に並べる。

「あ、すみません」重春はさっそくフォークを手にして食べはじめる。

「ちょっと、何これ、残飯みたいじゃないのよう」

「いっぺんに持ってきたほうがいいかと思って」

「このあと、何があるんだっけ」

充留が訊くと、邦生はジャケットのポケットからしわくちゃの紙を出し、
「じゃんけん大会と、重春くんの友だちの歌と、澤ノ井元夫婦の『離婚しないために
は』の十箇条と、あと宇田男の詩の朗読、そのあとケーキ入刀」読み上げるように言う。
「えっ、何それ。何それ詩の朗読って。それに何、十箇条って。あの二人がそんなこと
すんの？」
「おうよ。おれたちの希望の星である充留のために、みんながんばったのよ。酒いる？
ワインボトル持ってきてやるよ」邦生はそう言って、あわただしく去っていく。
「知ってた？　そんなにいろいろあるって」重春にささやくと、
「知らなかった」折り重なって盛られたサーモンもパスタも肉もいっしょくたにして口
に運びながら、重春は答える。「なんか、すげえね」人ごとのように言って、重春はち
いさく笑う。

フロアに目を凝らすと、さっきいた場所には宇田男も麻美もいなかった。幾人かが充
留と重春に近づき、お祝いを述べたりいっしょに写真を撮ったりして離れていった。あ
いかわらず、自分たちだけが仲間はずれであるような気分は消えず、充留は礼を述べた
りカメラに向かって笑みを浮かべたりしながら、隣で同じようにしている重春をちらち
らと眺めた。重春がどんなふうな感想を持ってこのにぎやかさのなかにいるのか知りた
かった。

つい最近、遠くから盆踊りを眺めているようだと感じたことを充留は思い出す。今この場でもおんなじようなことが感じられた。にぎやかさの中心はどこか遠くにあって、自分はベランダから遠い明かりを眺めているような。大人になるということは、ひょっとしたらこんなことなのかもしれない。弾《はじ》ける明かりと喧噪《けんそう》に背を向けて、自分の家に帰るようなこと。充留はそんなことを考える。

「これからどうなるかな、私たち」

光のなかでうごめく人々を眺め、充留は重春に訊いてみた。

「どうもなんないんじゃないかなあ」

シャンパンをするようにして飲み、重春はぼそりと答える。

「しょぼいまんまか」

充留がつぶやくと、

「夫婦なんてしょぼいもんだろ」

やけに自信たっぷりに重春が言うので、充留はちいさく笑った。一年前と同じような会話をしているのに、あのときと、なんだかずいぶんかけ離れた、遠い場所にきてしまったような気がした。その場所がどこなのか、充留にはわからなかったけれども。

司会の邦生が、佐山宇田男による詩の朗読をはじめます、とマイクを持ってがなる。フロアは一瞬静まり返る。人波のなかから、宇田男がきまり悪そうな顔であらわれる。

「かつて一世を風靡《ふうび》した、知る人ぞ知る伝説の小説家佐山宇田男が、今日、新郎新婦のために新たに書き下ろした詩を、満身の力をこめて朗読します」

　野次が飛ぶ。歓声が上がる。拍手が起こる。スポットライトが佐山宇田男にあたる。充留は目を細めて、そこに立つ宇田男を見る。宇田男はごそごそとポケットから紙を取り出し、もったいぶった動作で広げ、スタンドマイクの高さを調節し、咳払《せきばら》いする。

　きっと私はもう、感動も賞賛も感じないだろうと、そんな宇田男を見つめたまま充留は思う。それがどんなにすばらしい詩であっても、言葉であっても、おそらく宇田男の存在に圧倒されることはないだろう。でも――でもきっと、これから読まれるであろう言葉に、私は全神経を傾けて耳をすます。宇田男の言葉は今、鮮やかに見せるだろう、私たちのかつての日々を、通りすぎたいくつもの光景を。そして宇田男の言葉が見せる、写真よりも鮮明なそれらを、私はいつか、うんと年をとったいつか、昨夜《ゆうべ》の夢のように思い出すだろう。あるときにはそれは目を背けたいほど醜く見え、あるときにはちいさな宝物のように美しく見えるだろう。

　そして充留は息をひそめ、かつて恋した男が声を出すのをじっと待つ。

# 解　説

香　山　リ　カ

角田光代の小説を読み終わると、いつも「で、私はさ……」と物語の続きのように自分のことを話したくなる。今回も同様だったので、ここで少しだけ自分の話をしたい。

『三月の招待状』は女三人、男ふたりの大学時代の友だち五人の物語だ。いま三十四歳で、彼らはもう十五年ものつき合いなのだという。

うらやましい。私の場合は、大学時代の友だちに気がねなく会えるようになるまで、なんと二十年もかかった。グループ内で結婚した正道と裕美子が別れるにあたって「離婚式」を開催しよう、と画策している年代のときは、私は大学の友だちとはほぼ絶縁状態であった。

なぜそんなことになったのかと言えば、私が卒業した医科大学は一学年一クラス。授業は選択がほとんどなく、朝から晩まで六年間を百二十人が同じ教室や実習室ですごす。私自身はクラスメイトとは少し距離を置いて、学外の編集プロダクションでのバイトなどに精を出していたのだが、それでもクラスの濃密な人間関係に巻き込まれてしまう。

とくに二十人ほどしかいない女子学生は四六時中をいっしょにすごすので、お互いの家族背景から恋愛事情、ときには性生活に至るまでをイヤでも知ることになる。

大学を卒業する時期が近づくにつれて、私は「ここを出たらこの人たちとはもう縁を切りたい」とまで思い、研修はそこからできるだけ離れた地にある病院で行うことに決めたのだ。

それから、嫌悪感よりなつかしさのほうが上回り、「クラス会に出てみようかな」と思えるようになるまでは、なんと二十年もの年月が必要だった、というわけだ。

だから、私が「大学時代？　おお、イヤだ」と耳をふさいでいた三十四歳の頃にも、「離婚式をやるから集まろう」などと言い合える正道たちは、ある意味でとてもうらやましい。私は、自分の中で欠如している記憶を埋めるような気持ちで、離婚式の招待状が届いてから始まる彼らの一年間の物語を夢中で読んだ。

私といちばん距離が遠いのは正道との離婚式にのぞむ裕美子か、と最初は思った。何せ裕美子は離婚までの日々をこんな風に振り返るのだ。

「実際、十八歳のときから、ずっと同じ場所にいたのだと裕美子は思う。裕美子にとって世界は、物理的に正道がいる、物理的に正道がいない、という二つしかなく、自分はつねに正道がいない世界でひとりしゃがみこみ、正道がいる世界を思い描いていた。出ていってと正道に言ったとき、裕美子は唐突に気づき理解し、そうして心底ぞっとしたのである。」

自分の人生を大学時代からの恋人がいる、いないで二分できる、そのシンプルな世界観……。

しかし、その後、離婚を経て裕美子は変わる。激変する。毒舌ライターの同級生・充留に、自ら「合コンクイーンよ。搾取された青春を取り戻してるの」などと言ってのけるのだ。「あのね充留。私ね、なんにも知らなかったの。この世にディズニーランドがあることも、男の子が荷物持ってくれることも、なんにも知らなかったんだよ。少しくらい、そういうのを味わったっていいじゃない」と言う裕美子。たしかに、「正道がいる、いない」でしか世界を見ることができなかった裕美子にとっては、離婚してはじめて本当の現実世界に触れた、というところなのだろう。

三十代半ばになって合コンクイーンだなんて裕美子ってなんだかイタい、と思いながらも私は、「自分の失われた記憶を五人のゴタゴタ物語で埋めようとしているいまの自分と、結局、あまり変わらないかも」と気づいた。だとしたら、私だって十分イタい。

かつて裕美子の世界のすべてだった正道は、離婚後、若い恋人の遥香と交際する。その部屋に、遊び人の宇田男との情事におぼれたあげく失踪した専業主婦の麻美を案じて、裕美子や充留がやって来ることになる。その場にいた遥香の分析が秀逸すぎる。

「正道と、元妻を含む元クラスメイトたちは、おそらく、だれかに嫌われたことも嫌ったこともなく育ったのだろうと遥香は想像する。人との距離を縮めることをなんとも思っていないのだろう。わちゃわちゃと人と関わりながら成長し、そうして大学という場で似た人間をさぐりあて、寄り集まってわちゃわちゃと過ごし、そうして今もなお、わちゃわちゃと関わり合っているのだろう。好きも嫌いも超えたところで。彼らにとって好きはどこまでも肯定で、嫌いは無関心、それだけなのに違いない。」

しかし遥香は、こうやっておとなになりきれず、いつまでも「わちゃわちゃと関わり合っている」彼女らのことを、「子どもねえ」とは思わない。では、なんと思うのか。遥香の声を聞いてみよう。

「なんていうか、この人たち、すっかりおばさんなんだわ。」

そう、彼女ら、彼らはおとなにはなりきれていないものの、外見はもちろん、感性や考え方が若々しいわけでもない。遥香のような本当に若い女性から見ると、それはまさに「おばさん、おじさん」でしかない、というわけだ。こんなに悲しいことがあるだろうか。

では、どうすればこの〝わちゃわちゃした人たち〟は、おじさん、おばさんにならずに「カッコいいおとな」になれたのか。経済的に自立するのがおとなか。社会で高い評価を得るのがおとなか。それらはいずれもおとなと呼ばれるための必要条件であることは間違いないが、それだけでは足りない気がする。

たとえば、ライターの充留の年下の恋人で、ヒモのような生活を送りながらも学生生活への執着は「そういうのがおれは全然ないってこと」と言いきれる重春や、友だちの失踪で「ごはんやお酒はどうする？」と浮足立つ人たちを「おばさん」と思い、「何やらひどく遠い光景」と冷めた目で見ている遥香のほうが、本当はずっとおとななのではないか、とも思う。そう、この若いふたりは、自分で意識してそうしたわけではなさそうだが、すでに学生時代やそこでの人間関係には、きれいさっぱり決着をつけているのである。

そして、離婚式だとか、誰と誰がつき合い始めたとか、誰がいなくなったとか言っては、こうやって顔を合わせる機会をもうけ、そのつど気持ちをザワザワさせたりほのめかせたりしているこの五人は、いまだに学生時代に決着をつけられずにいることは確かだ。この点において、彼らはどんなに稼ごうが「社長」「先生」と呼ばれようが、おとなになれないまま、年齢だけを重ねて「おじさん」「おばさん」になってしまう。

こんなことを言うと、「あんただってそうでしょ」という声がどこかから飛んできそうだが、まさにその通り。「いやあ、大学の同窓会に行くまでに二十年、かかりましたねえ。でも、いざ行ってみるとたいしたことはなくて、なつかしく昔話もできましたよ。みんなすっかり丸くなったんですね」などと偉業を成し遂げたかのように話す私も、十分に「決着のついていないおばさん」だ。

充留と暮らす重春は、八歳年上の恋人にこう言う。

「なんか、あんたもあんたの友だちも、なんかどっか、体の一部そこから出ていかないようなとこ、あんじゃん。」

「そこ」とはもちろん、大学時代のことだ。そう言われて、充留は返答に窮する。本当なら、ここで「どうして出て行かなければならないわけ？　いいじゃない、いつまでもわちゃわちゃしていたって」などと言い返せれば、それはそれで潔いかもしれない。しかし、それでよい、とは誰も思ってない。できれば、きれいな形でそことは決着をつけて、一度、出て行きたいと思ったり、「私はすでに出て行けている」などと錯覚したりしているのだ。

考えてみれば、これは大学時代に限ったことではない。そういえば、私は高校時代の同窓会にはまだ行けないのだ。高校を卒業して三十三年もの時間がたつというのに、少人数の集まりならよくてもクラス全員、学年全員が集まる場には足が向かない。わずか三年であったが、そこでの人間関係があまりに濃すぎたからだ。

いやいや、それだけではない。結局、大学を卒業した後、新天地で研修医生活をスタートさせた私だが、その大学病院の同期生らとのこともいまだに何となく引きずっていて、さわやかな気分で楽しく酒を酌み交わす、とはなかなかなれない。もちろん、昔の恋人とはおそるおそる年賀状を送り合うだけで、「なつかしいねえ」「どうしてる？　え、孫がいる！ まあ、不思議じゃない年だよね」などとはとてもなれない。

私はどこからも出て行けないまま、決着をつけられないまま、「おばさんの何乗」といった状態になっているのかもしれない。ただ、こんな悲惨な状態になっているのは、私だけではない、と信じたい。裕美子や充留たちだってそうであるし、おそらくほかにもたくさん……。だからこそ、角田光代はこんな小説を書いて、それが多くの読者からの共感の声を集めることができたのだろう。

カッコいいおとなになりきれず、いたずらに年を重ねて行く、決着のつけられない人びと。そんな人たちと、心の痛みを分け合うための場。『三月の招待状』はそんな小説だ。

初出「小説すばる」
三月の招待状 二〇〇五年三月号
四月のパーティ 五月号
六月のデート 七月号
八月の倦怠 九月号
九月の告白 十一月号
十月の憂鬱 二〇〇六年一月号
十二月の焦燥 三月号
一月の失踪 五月号
二月の決断 七月号
三月の回想 九月号
四月の帰宅 十一月号
五月の式典 二〇〇七年一月号

この作品は二〇〇八年九月、集英社より刊行されました。

集英社文庫の好評既刊

## みどりの月

角田光代

成り行きまかせではじまった、男女四人の奇妙な共同生活。別れの予感を抱えた夫婦の、あてのないアジア旅。明るく乾いた孤独とやるせない心の行方を描く作品集。

集英社文庫の好評既刊

## だれかのことを強く思ってみたかった

角田光代／佐内正史

住宅街、駅のホーム、東京タワー……いつもと同じ日常、でもそこにしかない一瞬。写真家・佐内正史と角田光代がふたりで巡った東京を、写真とショートストーリーで描き出す。

集英社文庫

三月《さんがつ》の招待状《しょうたいじょう》

2011年9月25日　第1刷　　定価はカバーに表示してあります。

著　者　角田光代《かくたみつよ》

発行者　加藤　潤

発行所　株式会社　集英社
東京都千代田区一ツ橋2-5-10　〒101-8050
電話　03-3230-6095（編集）
03-3230-6393（販売）
03-3230-6080（読者係）

印　刷　凸版印刷株式会社

製　本　加藤製本株式会社

フォーマットデザイン　アリヤマデザインストア　　マークデザイン　居山浩二


ISBN978-4-08-746740-6 C0193